本书的出版得到北京印刷学院
编辑出版学国家级特色专业建设经费资助

编辑出版学实训系列教程
朱宇 主编

林少波 编著

Training Course of Book Planning and Edition

图书策划编辑实训教程

中国书籍出版社
China Book Press

序　言

聂震宁

祝贺北京印刷学院新闻出版学院又取得了一项教学科研成果——朱宇教授主持编写的编辑出版学实训系列教材第一批5种（《图书编辑与制作实训教程》《图书策划编辑实训教程》《图书印务管理实训教程》《出版物发行实训教程》《技术编辑实训教程》），克服了种种困难，终于面世。

编辑出版学实训系列教材出版，称得上是我国编辑出版专业高等教育一件有意义的事情。其意义自然是多方面的。在我看来，最重要的意义是，丛书编写者们在这套教材编写过程中所坚持的宗旨，那就是：编辑出版学高等教育朝着实用型的目标又迈出了脚踏实地的一步。

编辑出版学专业是一门实用型学科，这是从事这一专业教学工作的人士的共识。然而，究竟怎样才能把教学落到编辑出版工作的实用上面，达到实用型人才培养的要求，培养出一批批编辑出版事业欢迎的有用之才，却是一个老大难题。有人为此几乎生出比较悲观的态度，以为出版无学、编辑无学、教学无用。这自然是虚无主义的态度，于事无补。这些年来，高等院校经过努力，陆续输出的专业人才以及人才陆续有所作为，就能切实地说明编辑出版学科存在的理由。当然，还有更多的有志之士，则在不断地讨论和实践改进专业教学方法，努力破解老大难题，近一个时期来，成果渐丰，让我们明显感受到这个专业发展的蓬勃之势。

朱宇教授自然属于此类有志之士。她一直在专业上做着各种探索和努力。她曾参与主编《编辑出版学研究进展》年度专题报告。那是一部重在跟进总结编辑出版学学科研究状况的学科报告，其重视实践的科学态度让我们为之一振。现在，她又主持编辑出版学实训系列教材的编写，直接从实用型教材的编写入手，改造编辑出版学专业的教学基础，努力达到提升实用型专业教学质量的目的，殊为难能可贵。

教材乃是学科教育之本。朱宇教授和她的合作者们，走的是一条务本之路。建设和发展编辑出版学科，头等大事尤其应当是教材建设。因为——恕我直言——编辑出版学的教材问题业已成为本学科严重不足的短板。现在不少学校的编辑出版学专业使用的还是1996年组织编写的教材。那是编辑出版学最早系统化的一套教材，发挥过重要的历史作用。但是，近20年过去，我国出版业、编辑出版研究与教学都有了长足的发展和改变，现在看来，这套教材不仅内容太过陈旧，与出版业发展现状差距亦大，而且距离实用性要求尤其大。近几年来，也有若干套新教材面世，一定程度上有新意、有创意，然而却有明显的个人专著的特点，有些内容尚属学术探讨阶段，并不利于学生明确的理解和接受，作为教学参考用书尚差强人意，作为课堂教材则有较明显的不足。尤其是，对于实用性要求，这些教材也都还有差距。如此情势下，长期处在教学实践中的朱宇教授，秉承培养实用型人才的宗旨，直接从实训教学入手，弥补现有教材教学的不足，在教材建设这一务本之路上迈出了坚实的一步。

编写实用型专业的高等学校教材，不能只是满足于告诉学习者专业的要求，更要告诉学习者怎样才能达到那些要求。所谓之"授人以鱼不如授人以渔"。这就是这套系列教材编写中所力图追求的目标。为了实现这一目标，这套教材的编写者们做了以下若干努力。

一、坚持从提出和解决问题入手，立足于培养学习者解决问题的能力。哪里有问题，哪里就有求知。教材中设计的一系列问题，当然是来自于编辑出版工作的实际。对于学习中有可能产生的疑惑和困难，教材中均有针对性地提出。在每个单元中，还安排了有针对性的研究项目及模拟实训，这一切，均体现了既要掌握理论知识更要获得实际操作能力的教学目的。

二、重视案例教学，立足于增强学习者的专业实感。哈佛商学院首创案例教学，现已成为实用型学科教学的主要法宝。生动的案例写作和深入分析，能引导学习者从个别到一般，从实践到理论，理解所学专业的相关原理和知识，达到培养学习者发现问题、解决问题、总结经验的能力。这套教材突出案例教学的特点，每章节以案例开篇，以案例导出问题，以引发学生的兴趣和思考。当然，案例的选取至为重要的是具有时代性和典型性，案例教学最终要落在案例分析上，分析将显示专业水准和理论深度，编写者们是努力这样去做的，只是感到尚有需要改进和加强的地方。

三、重视教材编写形式，努力以形象生动为指要。这套教材十分注意避免以往一些教材编写形式单一，文字空洞苍白，难以引起年轻学习者的兴趣和注意。编写者们注意兼顾教材的科学性与受众的接受心理，在保证内容的科学性、逻辑性和系统性的前提下，使内容适当地碎片化，以说理性内容配合案例、图表，使学习者一目了然，理解到位。据说朱宇教授曾把一些初稿拿给一些学生试读，反映还不错。

四、写作队伍具有产学研结合的特点。所谓"产"，即指出版业从业人员；"学"即指编辑出版学专业教师；"研"则指编辑出版学专业研究者和在读的研究生。《图书策划编辑实训教程》一书的编写者林少波，就有出版业从业10年，服务过多种所有制单位的经历，写过畅销书也一直致力于编辑出版畅销书和长销书，且在新闻出版系统在职编辑培训中有过教学经验。《图书印务管理实训教程》《出版物发行实训教程》两书也都由人民邮电出版社、人民文学出版社等著名出版机构的编辑部、出版部、发行部专业人员参与编写。至于朱宇教授，她有在出版单位工作13年和高校从教13年的丰富经历，除主持全套丛书编写出版工作外，还直接带领学生编写《图书编辑与制作实训教程》，不仅融汇了她从业从教多年的经验和心得，还让学生们得到了实践的机会。有实践总会有体会。而编辑出版学专业的学习最重要的是体验。这种体验可以说弥漫于这个行业的全体，贯穿于编辑出版的全过程。朱宇教授带领北京印刷学院新闻出版学院首届出版专业硕士，从市场调研做起，反复推敲实训教材的设计与写作方案，制订写作体例，写策划方案，写初稿，导师退改，往返至少三次，最后导师统稿。这期间还多次征求出版业界一线出版人的意见，使得书稿逐步臻于完善。尽管，最后只有少数几位学生写作的文稿基本符合要求，但是，对于全体参与者，无疑都得到了锻炼，能力均有不同程度的提高。叶圣陶先生曾有名言："教育就是习惯的养成。"学生们参与这套教材编写，对他们的学习、研究乃至今后工作良好习惯的养成，无疑是大有好处的。

综观朱宇教授主持的这套实训教材编写出版的意义和若干特点，且对整个编写工作的种种困难有所了解——她不仅教学任务繁重，又不慎遭遇伤痛，被逼疗救了一些时日——我不能不发表一点专业以外的感想。我深感朱宇教授是一位真诚、深挚热爱编辑出版学教育和科研的专业人士。她做事认真，这在她工作过的单位都是有口碑的。她不仅做事认真，而且一味追求深入透彻，这在老师们中间也是有公认的。她不仅做事认真，追求深入透彻，而且文气十足，这在学生们中间更是广受拥戴的。看到她的努力和种种成果，让我想起了《论语》中"执事敬"的训诫。所谓"执事敬"，诚如宋代大儒朱熹所解读，即"凡人立身行己，应事接物，莫大乎诚敬。诚者何？不自欺，不妄之谓也。敬者何？不怠慢，不放荡之谓也。"朱宇教授正是秉持着"执事敬"的态度来从事自己所挚爱的事业，才可能在深得学生们拥戴的同时，又有若干项教学科研方面的成绩，像这套系列教材一样，为事业增添光彩。这些年，我忝列于北京印刷学院新闻出版学院客座教席，目光所及，像朱宇教授如此这般"执事敬"的教授，并非唯独仅有，而是不胜枚举，甚至可以说，几成学院风气。在这样的学院风气中，哪里还容得下任何虚无主义的态度！恰恰相反，这里有的是进取之心、创新之意、建功立业之志，这才有了这套系列教材生长的土壤和氛围。

2013年5月18日

（作者系中国韬奋基金会理事长、中国出版集团公司原总裁、北京印刷学院新闻出版学院院长）

目　录

上辑　图书编辑需要做职业规划

003　第一章
图书编辑的三个职业方向

第一节　图书编辑也要职业生涯规划　/004
第二节　文字编辑的成长规划　/012
第三节　策划编辑的成长规划　/017
第四节　营销编辑的成长规划　/025

031　第二章
策划编辑就是项目经理人

第一节　从作品到产品　/032
第二节　从 PD 到 PM　/036
第三节　从快销品到快销书　/042

047　第三章
策划编辑必备的职业素质

第一节　九大职业能力　/048
第二节　五大职业化技能　/054
第三节　成为复合型人才　/058

中辑　畅销书就是把细节做到位

069　第四章
市场化构思

第一节　选题切入　/070
第二节　书名拟定　/089
第三节　作者资源　/103

121　第五章
差异化制作

第一节　文案写作　/122
第二节　目录搭建　/148
第三节　内容编排　/161

173　第六章
立体化营销

第一节　基础性营销　/176
第二节　全方位营销　/200
第三节　补充性营销　/226

下辑　策划编辑是自我管理专家

243　第七章
　　　事务管理

第一节　word：涉及进度的，建立文件并每日更新　/244
第二节　A4纸：涉及事务的，做成列表并逐一消除　/247
第三节　PPT：给领导或客户看的，做出方案并提交　/249

253　第八章
　　　时间管理

第一节　按照流程办事是为了让我们少出错　/254
第二节　把重要的事放在精力旺盛的时候做　/256
第三节　让每一次听培训和讲座都有所收获　/258

261　第九章
　　　情绪管理

第一节　沟通：不要带入情绪，但要带着情感　/262
第二节　共识：可以各执己见，要有最终意见　/264
第三节　心态：外经得起诱惑，内耐得住寂寞　/267

后　记　/270

▍说"辑"："车"掌握本事，"口"正确表达，"耳"学会倾听。
▍解"职"：带上耳朵，带上嘴巴，思考多一点，行动快一点。

上辑

图书编辑需要做职业规划

第一章

图书编辑的三个职业方向

基本上，编辑出版学专业的学生，如果毕业后想从事出版行业，那么大部分人都梦想当一个策划编辑。当然，策划编辑不是一天练成的，它需要一个成长的过程；策划编辑也不是所有人都适合做，不是所有人都能干得好。因此，在学习如何成为一个优秀的策划编辑之前，需要了解一下图书编辑一般有哪几种职业方向。

第一节 图书编辑也要职业生涯规划

何谓"职业生涯"？可以从字面上这么拆解：

职	职位、职责、职务	认真工作
业	学业、专业、企业	正确选择
生	生计、生存、生活	提高收入
涯	天涯、海涯、悬涯	丰富经历

其中，认真工作是基础，正确选择是关键，提高收入是核心，丰富经历是附加。这四个方面缺一不可，相辅相成，都实现了，就是成功的职业规划。那么，图书编辑做职业规划的出发点是什么呢？

一、进行一次自我评估和环境评估

自我评估，就是对自己做全面分析，认识自己。只有认识了自己，才能对自己的职业做出正确的选择，才能选定适合自己发展的生涯路线，才能对自己的生涯目标做出最佳选择。

环境评估,也就是生涯机会的评估,主要是分析内外环境因素对自己生涯发展的影响。每一个人都处在一定的环境之中,离开这个环境,便无法生存与成长。在制定个人职业生涯规划时,要分析环境中的特点、自己与环境的关系、自己在这个环境中的角色、环境本身的需求及环境对自己的作用等。

为了更好地进行自我分析、规划人生,我们可以了解一下在职业咨询中常用的一种分析方法——个人 SWOT 分析。

SWOT 分析是一种检查技能、喜好和职业机会的有用工具。通过它,你会很容易知道自己的优点和弱点在哪里,并且可仔细地评估出自己所感兴趣的不同职业道路的机会和弱势所在。S 代表 Strength（优势）,W 代表 Weaknesses（弱势）,O 代表 Opportunites（机会）,T 代表 Threats（挑战）,其中,S、W 是内部因素,O、T 是外部因素。

Strength（优势）	Weaknesses（劣势）
相比具有优势的方面,如:较强的组织策划能力、坚强的毅力、领悟理解能力很强、出众的外语沟通能力。	相比较弱或缺陷的方面,如:不善于表达、该表现的时候不会表现、见到领导就恐惧、业务能力不扎实。
Opportunites（机会）	Threats（挑战）
有利于职业选择和职业发展的一些机会,如:企业提供更多的培训,有更多竞争、锻炼的高职位。	潜在的风险和威胁,如:经济下滑造成企业裁员、跨国人才进入明显的竞争力差异、新进员工优势明显。

做个人 SWOT 分析需要你的一些投入,因此要认真地对待。当然,要做好你的职业分析难度也很大,但是进行一次详尽的个人 SWOT 分析是值得的,因为当做完详尽的个人 SWOT 分析后,你将有一个连贯的、实际可行的个人职业策略供自己参考。

模拟训练

姓　　名：杨艺

就读学院：北京印刷学院

所学专业：编辑出版

年　　级：大四

学习成绩：乙等奖学金

技　　能：全国英语四级、计算机二级

学生工作：《跨越》杂志主编

实习兼职：《大学生》杂志社编辑

特　　长：擅长演讲、有一定美术功底

我们现在根据其情况进行一次SWOT分析：

1. 优势及其作用

（1）优势：英语、计算机能力；有图书编辑需要具备的编辑及设计能力；科班出身。

（2）优势使用：北京印刷学院编辑出版学专业的学生在出版界中从业者众，是其校友、师兄师姐资源；有在杂志社实践的经历。

2. 劣势及其弥补

（1）劣势：非名校学生；应届毕业生。

（2）劣势弥补：充分发挥北京印刷学院作为出版专业特色高校的优势；多与师兄师姐请教交流寻求机会；广泛阅读弥补不足，完善自己的知识结构。

3. 机遇及其把握

（1）机遇：文化产业正逐渐得到国家层面重视，与创意有关的行业将得到更大的发展；随着出版业的发展，那些低素质人员将被淘汰，专业、高素质人才将进入这个行业成为新生力量。新媒体的发展，必将催生出与内容整合有关的岗位；版权贸易的发展也将需要更多的版权编辑。

（2）机遇的把握：了解出版业的最新动态和政策；大学时期争取通过出版职业资格考试初级资格证书或发行员资格证书；多参加社会实践，毕业时争取有作品为简历加分。

4. 挑战及其排除

（1）挑战：英语水平需要进一步提高，最好过六级，加强口语水平；

（2）挑战的排除：充分利用有利的语言环境学习；向他人虚心学习。

简单地说，对于那些刚刚毕业、没经验、没资本主动挑选自己想进的企业的人，找工作就是要遵循"三所"：

① 所"学"：专业搭配行业

② 所"爱"：优势追随趋势

③ 所"有"：人脉影响财脉

二、专业、企业、行业的选择

要做好专业、企业、行业这"三业"的选择，首先要做好"三定"：

（1）角色定位——"我是谁"（性别、籍贯、学历？）

（2）主题定性——"我来做什么，我该怎么做"（文字编辑、策划编辑、营销编辑……）

（3）职业定向——"我到哪里去"（出版社、民营公司、研究所……）

需要明白的是，学业进修≠职业规划，专业选择≠职业规划，行业分析≠职业规划。职业规划必须清晰，方向正确才能一路高歌；职业规划必须可行，方案有效才能穿山搭桥。最合理的规划莫过于：选定一家让你至少愿意坚持3年的企业，谋对一份让你至少愿意奉献5年的职业，找到一个使你至少愿意奋斗10年的行业。

对于编辑出版学专业的学生来说，比如可以这样反过来思考与选择：准备投身出版行业至少10年，当至少5年出版策划少儿类图书的编辑，在北京时代华文书局就职。

具体到怎么衡量一份工作好坏，有以下10个因素：

① 行业前景：传统行业（纸质出版）or 新兴行业（数字出版）。

② 企业前途：做大上市 or 只求生存。

③ 老板见识：企业家 or 小商人。

④ 直接上司：人品与能力决定你的前途。

⑤ 办公室氛围：融洽和谐 or 勾心斗角。

⑥ 岗位匹配：所学、所爱。

⑦ 人脉资源：用得上而且能得到延伸。

⑧ 价值认可：能做事、做成事被肯定。

⑨ 薪资待遇：月薪、提成等考核体系和福利标准。

⑩ 地理位置：交通是否便利、周边环境是否良好。

三、匹配最重要：看看你的行为风格适合做什么？

PDP 是行为风格测试的一项工具，英文简称 Professional Dynamitic Program。行为风格是指一个人天赋中最擅长的做事风格，根据不同的人风格特性的不同，分别用了 5 种动物来代表老虎型、孔雀型、考拉型、猫头鹰型和变色龙型。

1. 你做事是一个值得信赖的人吗？
2. 你个性温和吗？
3. 你有活力吗？
4. 你善解人意吗？
5. 你独立吗？
6. 你受人爱戴吗？
7. 你做事认真且正直吗？
8. 你富有同情心吗？
9. 你有说服力吗？
10. 你大胆吗？
11. 你精确吗？
12. 你适应能力强吗？
13. 你组织能力好吗？
14. 你是否积极主动？
15. 你害羞吗？
16. 你强势吗？
17. 你镇定吗？
18. 你勇于学习吗？
19. 你反应快吗？
20. 你外向吗？
21. 你注意细节吗？
22. 你爱说话吗？
23. 你的协调能力好吗？
24. 你勤劳吗？
25. 你慷慨吗？
26. 你小心翼翼吗？
27. 你令人愉快吗？
28. 你传统吗？
29. 你亲切吗？
30. 你工作足够有效率吗？

每个问题对应的答案是：

A. 非常同意 B. 比较同意 C. 差不多 D. 一点同意 E. 不同意

选A，5分；选B，4分；选C，3分；选D，2分；选E，1分。

答完之后，把第5、10、14、18、24、30题的分加起来就是你的"老虎"分数；

把第3、6、13、20、22、29题的分加起来就是你的"孔雀"分数；

把第1、7、11、16、21、26题的分加起来就是你的"猫头鹰"分数；

把第2、8、15、17、25、28题的分加起来就是你的"考拉"分数；

把第4、9、12、19、23、27题的分加起来就是你的"变色龙"分数。

假若有某一项分远远高于其他四项，你就是典型的这种属性，假若有某两项分大大超过其他三项，你是这两种动物的综合；假若各项分数都比较接近，你是一个面面俱到的人；假若有某一项分数特别偏低，想提高自己就需要在那一种动物属性的加强上下工夫了。

当然，人的性格是十分复杂的，性格的优化也并非一朝一夕的事，你必须知道自己的性格好的一面，同时，也要对自己性格的弱点了如指掌。一旦走上性格优化之路，你也将踏上成功之路。因为：性格决定命运！

现在你来对照一下自己，自己是什么类型的人，然后利用好自己的优点，让自己在图书编辑的职业生涯上一步步走向巅峰！

动物特性	个人角色	个性优点	适合职位
老　虎	推进者	喜欢冒险、个性积极	发行销售
孔　雀	沟通者	热情洋溢、好交朋友	营销推广
考　拉	实干者	性情平和、行事稳健	文字编辑
猫头鹰	监督者	分析力强、条理分明	策划编辑
变色龙	整合者	韧性极强、善于沟通	编务工作

当然，有几点需要说明一下：

（1）以上这个测试准确率并非百分之百。

（2）每个人性格中总或多或少含有每一种动物的特性。

（3）有的特性可能是显性的，有的可能是隐性的，也就是说，其实你有某种特性，只是被暂时掩藏着了。

（4）性格很难根本改变，但可以逐渐优化。这随着工作经验的丰富、职务的提高、工作性质的变化，不同特性在同一个人身上的比例会发生变化。

（5）并非考拉就不好，并非孔雀就吃香，关键在于合适。

（6）干发行一样需要变色龙，当策划一样需要考拉，这里只是为了强调，并非就如此一一对应。

（7）任何测试，均只是参考，根据答案强化已有的优势，发现存在的不足，扬长避短，这才是理性的对待方式。接下来的第二、三、四节把编辑按文字编辑、策划编辑、营销编辑划分，亦只是为方便单独介绍说明。事实上，只要是编辑，很多工作都是交叉的、合一的，千万不要误解。

本小节实训项目

请根据自己的所学专业、年级、学习成绩、擅长技能、社会实践等，为自己做一次个人SWOT分析。做完后可以与担任本教程的老师或通过网络与一些职业规划师联系沟通，交流一下你的感受。

第二节 文字编辑的成长规划

一、文字编辑的职位描述

文字编辑也被称为"案头编辑",基本任务是负责书稿文字的编辑审校、提纲撰拟、包装及营销文案、内文配图等。随着越来越多的出版单位对项目责任制的采纳,文字编辑的职责要求也越来越细分。如下面是国内一家著名出版企业招聘文字编辑的要求:

岗位要求:

(1)对编辑主管负责,执行并完成项目图书出版任务。

(2)落实项目图书编辑工作流程,保证项目图书按计划出版。

(3)负责项目图书的版权申报、文案、企划和文字编辑。

(4)负责与录排、设计、印制、营销、市场等部门相关工作的沟通与落实。

(5)负责与出版社编辑的工作衔接。

(6)负责外包环节(插图、翻译、校对)的进度监控与质量审核。

(7)开发新选题,培养作者资源。

(8)与编辑业务相关的其他工作。

(9)对书稿的成品质量负直接责任。

有的出版单位还对应聘人员的职业态度、兴趣和其他能力等作了补充要求:

(1)文字功底深厚,知识面广,书稿写作及加工能力强;

(2)热爱文字,愿长期从事编辑出版工作,诚信、敬业、追求卓越;

（3）良好的沟通能力与协作意识，熟练掌握计算机和网络。

从上面这些要求可以看出：文字编辑并非只要会"剪刀加浆糊"就可以了，那样只是"文字匠"；文字编辑也不是只要文笔好、会写东西就可以了，那样就和作者没区别了。合格的文字编辑，首先要是文字的"雕琢师"、书稿的"花木匠"，其次要是作品的"包装师"、"设计师"，还要是项目流程的"跟踪员"。优秀的文字编辑，还要能是作品的"助产士"，帮助作者修改和完善书稿。

二、文字编辑的5年成长路线

作品的题材和风格类型、难易程度不同，不同文字编辑的适应能力也不同，自身的知识积累和阅历等也千差万别，成长速度也就不一而论。但"干就要干得好"，从职业发展的角度而言，可按照以下四个进阶要求来提升自己：

（1）第1年，完成简单的文字加工工作，会简单的版式设计。

（2）第2年，对书稿的构架和体例有话语权。

（3）第3～4年，对一本书的整体加工过程娴熟地驾驭。

（4）第5年，各种形式的书稿到其手里，均能雕琢成精品。

初入行的文字编辑，要学会看书稿。对于已决定采用的书稿，从各方面进行审核并修改润饰和规范化处理的活动。编校整理过程中要遵循三个原则：一是尊重作者，忌强加于人；二是改必有据，忌无知妄改；三是依据规范，忌滥施刀斧。编校的内容项目和目标包括：消灭差错，润饰提高，规范统一，核对引文、查对资料、校订译文、推敲标题、撰写规范辅文等。看书稿不是对作者及其作品不讲原则地"指手画脚"，也不是挑几个错别字就了事，而是要从出版加工规范的角度和吸引读者阅读的角度出发，对正文、辅文包括图片在内的基本差错进行更正。

对于工作两三年的文字编辑来说，就要能从宏观角度高屋建瓴地对书稿进行整体润色调整、完善提高。对于书稿的架构、体例、版式设计等，要能从读者和作者角度分别出发进行权衡，提出调整建议。

对于工作四五年的文字编辑来说，要在驾驭书稿的娴熟度、判断书稿的精准度上多下工夫，以扎实的专业功底赢得别人的尊敬。

> **考考你**
>
> 优秀的编校高手，有着火眼金睛般的辨识能力，往往能在其他文字编辑注意不到的地方发现错误并改正过来，如下面这段编校记录：
> ◆ 动物的受精卵在母体内发育成新的个体后才产出母体，介于蛋生和胎生之间。
> 有误，应为"卵生和胎生"。
> ◆ 1917年，苏联十月革命胜利后，马克思主义迅速传遍到我国。
> 有误，应为俄国，苏联是1922年12月30日成立的。
> ◆ 拉格朗日，数字家，物理学家，宇航员。
> 有误，应核，19世纪还没有宇航员。20世纪60年代加加林进入太空，是第一位宇航员。
> ◆ 世界上女性获得投票权时间：1924年蒙古……1928年英国。
> 此段表示不妥，1924年蒙古是中国的一部分，不是独立国家。20世纪40年代末蒙古方成为一个独立国家。这是外国人错误的表述，关于蒙古的表述应删除。

三、如何在加工书稿的过程中成长

编辑工作是一项需要日积月累才能有所成长和突破的职业。当一个文字编辑，绝非简单地理顺文字、消灭错别字那么简单。一个优秀的文字编辑，善于在审稿过程中琢磨这些东西：选题思路、标题拟定、文字梳理、案例整合，别人怎么想的、别人怎么写的、别人怎么改的……通过这些让自己逐渐成长起来。

选题思路方面，可以在拿到一部书稿时，先看看策划编辑填写的选题立项表或者选题策划书，对书稿的策划背景、内容卖点、市场论证、营销思路等有大致了解，这样加工书稿时才能"胸中有丘壑"，才不会眉毛胡子一把抓。开始阅读加工书稿时，则要尽量体悟作者的文心，探求其中的精华。最后，和策划编辑等人员对书稿的看法进行对比、总结，看看自己或对方在思维、眼光等反面的差异，不知不觉间就能培养出"书感"来。

标题拟定方面，可以多和策划编辑、作者沟通，反复提炼、对比，最终确定最传神、最吸引读者的标题。也可以多看看同类畅销书的目录，模仿其他编辑拟定标题的思路和匠心。

文字梳理方面，不是简单地挑错别字，而是要能斟酌遣词造句、语句文段、复核引文、提出疑问，使全书稿读起来通顺流畅、准确无误，并发现画龙点睛的关键语句，为文案写作奠定基础。有心的文字编辑，还会准备个知识积累本，归纳总结书稿加工中常见的知识性、标点规范、数字运用规范差错等，每看一遍书稿，都会将调整的地方和工作心得记录下来，反复揣摩。

畅销书《幸福了吗》的作者白岩松把书稿交给编辑前，曾数易其稿、字斟句酌，反复修改不下十遍。编辑修改后，他还会仔细通读，每次都能发现编辑不着痕迹改动的地方，对遣词造句反复比较。如编辑曾将原稿中"今日中国拥有泥沙俱下的活力"中的"泥沙俱下"换成别的词语，白岩松看出来后就提出来并说服编辑自己运用该词的用意。在图片处理上，他身体力行，精心挑选每幅配图并写上详细的说明文字。长江文艺出版社总编金丽红赞叹道："我们出了不少名人书，还没有哪个人能在认真方面超越白岩松——数易其稿，直到付印前一天他还在改。"一个名人作者都能如此认真，作为文字编辑，更应当有这种严谨细致、孜孜以求的职业态度和精神。

书稿结构方面，就是要从大处着眼，理清篇章、段落的逻辑层次，擅长"移花接木"，甚至能帮作者调整、优化内文的结构。

优秀的文字编辑，知识结构、文字基本功一定要扎实，要有善于质疑、勤查工具书的良好习惯。平时除了多看报、多浏览新闻外，可以多翻翻相关的专业图书，如外语教学与研究出版社出版的《标点符号实用手册》、湖南教育出版社出版的《编校改错必读》、上海辞书出版社出版的《简化字繁体字对照字典》等，或者《咬文嚼字》之类的优秀刊物，对于专业性较强、自己把握不准的书稿可以提交外审专家审读。不断积累、孜孜以求，才能提高编校书稿的技能。

本小节实训项目

一、填空题

（　）没无闻　　有（　）无恐　　汗流（　）背　　悬梁刺（　）

（　）旗息鼓　　额（　）称庆　　食不（　）腹　　谈笑风（　）

（　）安毋躁　　饮（　）止渴　　一如（　）往　　再接再（　）

（　）哉游哉　　床（　）之私　　金榜（　）名　　趋之若（　）

（　）意妄为　　出（　）不意　　不落（　）臼　　竭泽而（　）

二、编辑加工题

下面这篇稿件篇幅不长，但问题不少，请用校对符号进行编辑加工。

图书出版要以读者为中心以市场为导向

星期5下午，社里召开作者座谈会。到会的有十五、六人。会议的主题是出版工作如何迎接市场挑战？因为都是老作者，会议开的十分热烈，大家竟相献计献策。

王德生教授首当其冲。他说："作者即要有文化意识，不能总认为我的文章好。当你动笔写作前，便要想一想读者需要什么。把读者的心理把握准，就很难谈得上驾驭市场"。

成潜教授刚刚从北京莆抵上海。他在发言中强调出版社要提高主体意识。他说："一味追逐热点，是缺少自信心的表现。不能别人出了一本好书，大家便群起效尤。要从自己的实际情况出发吗！通过学习研读经济学经典，已经使我们对市场济经有了一定的认识，现在的关键是要敢于实践，敢于偿试，走出一条自己的路来。"……

第三节 策划编辑的成长规划

一、策划编辑的职位描述

策划编辑是指在进行广泛市场调查和研究、准确判断社会文化走向和文化市场需求后,提出相应的图书选题和产品设计方案,并能作出成本和效益预测、监督落实出版目标最终达成的编辑人员。

首先,要分析图书市场、提出选题。一个选题不是随便提出的,而是要经过周密的分析和市场调查、进行盈亏平衡和效益预算、集体论证后才能通过的。好选题至少要具备以下三个特征之一:作者有名气、内容有卖点、营销有话题。三者兼具的选题,更具备成为畅销书的天然基因,在成本可控的条件下,才能有落实的可行性。

其次,要会组稿,获取优质、理想的书稿。对于优秀的作者或名气比较大的作者,可以提出自己对书稿的设想,引导他们写作;对于一般作者,需要多花些精力,给出章节目录甚至内文样张,引导、帮助其完稿。当然,策划编辑要始终清楚自己的职责定位——作品的"助产士",要清楚自己和作者的关系定位——同志式互助合作关系,而不是盲目"指手画脚"、打乱作者的写作思路。

再次,要能指导、监督整个图书产品生产流程和市场运作。组完稿后,具体的加工整理工作可以交给文字编辑做,但是策划编辑要跟进、监督质量和进度,确保最终图书产品的完美出炉。图书进入市场前后,策划编辑要引导、协助营销宣传人员为图书销售预热、造势,协助市场和发行人员为图书铺货、渠道开拓奠定基础,并跟进终端销售数据、排行榜单、库存数据等,促使其达到甚至超过预期收益目标。

下面是国内一家著名出版公司招聘策划编辑的岗位要求。

岗位职责：

1. 承担策划、组稿的整体工作；

2. 分管策划采访、撰写、编辑、加工、审校和出片；

3. 对同类产品进行市场调研，组织选题论证会，制定选题规划；

4. 撰写策划可行性报告或方案；

5. 建立与维护作者队伍，做好选题的跟踪与服务；

6. 与作者沟通洽谈，确定稿酬标准及具体合作模式；

7. 监督和把控作者和编辑落实任务，确保完成编写计划；

8. 初审稿件，对质量提出评价意见；

9. 提交封面、内文诉求和建议，与设计人员进行沟通修改并确认；

10. 及时获取发行、市场等相关部门信息，把握下一步的选题方向。

任职资格：

1. 编辑出版、中文、新闻、传媒等相关专业本科或以上学历；

2. 两年以上出版策划编辑工作经验；

3. 熟悉相关媒体的管理模式和操作流程，熟悉国家新闻出版的相关法律法规和出版编辑规则；

4. 对相关领域前沿热点问题能够敏锐地捕捉、跟踪和分析，有独到见解；

5. 较强的创意策划能力和扎实的文案功底；

6. 较高的职业素养、敬业精神及团队精神，良好的沟通协调能力。

二、策划编辑的5年成长路线

（1）第1年，在明确的选题方向下，进行选题开发。

（2）第2~3年，对某领域有独特心得和良好的选题独立开发能力。

（3）第4年，对某些领域的选题有较强的策划能力，并拥有一定数量和质量的作者资源。

（4）第5年，可进行整体产品线的规划和品牌规划。

第一年，明确选题方向。明白自己要做的是哪类书，是给儿童看还是给成年人看，是面向一般大众读者还是面向某领域细分读者群。

第二年，树立专业路线。策划编辑最忌的是什么类的书都做却什么类的书都不精通。

第三第四年，积累一定作者资源。这是策划编辑最核心的职业财富和竞争力。如果把策划编辑比作厨师，那么作者和他们的书稿就是食材，什么样的食材决定什么样的菜肴。"判断一个策划编辑的职业水平，看看他的作者资源就可以了。"这句行业话语，道理也在这里。

第五年，向产品经理（关于"产品经理"，我们将在第二章第二节进行详细阐述。）的方向成长。这时，就要能对一类图书进行整体规划、通盘衡量其市场情况。

2012年"五一"假期前，北京磨铁图书有限公司创始人沈浩波通过个人微博发布了这则"产品经理招聘信"，对策划编辑的成长是个很好的方向指导。

产品经理招聘信

一、什么是"产品经理"

图书是一种商品，在进入市场之前，它就是产品。我们要做的工作，不仅仅是把文字内容校对印刷成书。我们认为每本书，都需要一个精通产品特性的经理，把握内容的精髓，找到内容与读者之间最近的关系，预测产品进入市场后的利润状况，打磨包装出最符合市场需求的产品，跟进后期营销，管理整个过程，每天都会关心产品的销售状况，并积极应对。

爱书——如果你不爱书，不喜欢这份工作，即使你聪明能干，也做不长。

懂书——懂得书的内容价值，懂得书的市场价值，懂得这两种价值之间的关系和转化。

发现书、拿到书——找得到好的选题，找得到好的书稿，找得到好的作者，并能谈下书稿，签下最有市场价值的作品。

做书——尊重作品精神，理解内容精髓，形成制作路线，抽取核心卖点，打造最佳文案，包装设计产品。

管理和经营书——从前期选题到后期销售，管理好这个过程，管理好每本书的成本、费用和利润。管理好自己的年度毛利任务以及完成任务的节奏和进度，跟进营销。

具备以上能力，并能踏实稳健为此工作的，就是最好的产品经理。

当然，在每个链条上，公司都有很多人在协助你工作，帮助你完成目标。产品经理，"经理"二字任重道远。如果磨铁有100位优秀的产品经理，那将是何等格局。因此，我们无比期待您的加盟。

二、磨铁的产品经理分级和晋升台阶

1. 初级产品经理

要求：

在业内有过1年以上策划编辑经验。熟悉策划、编辑全流程。有独立签约选题的能力。

初步具备图书产品意识。能以市场角度看待选题策划及产品制作。

有一定选题策划经验和资源。

有独立策划出版的图书代表作。

具备基础营销意识，有一定图书营销经验，能按需提供必要的产品营销资料。

2. 中级产品经理

要求：

在业内有过3年左右策划编辑、责任编辑经验。封面监制能力强。

至少独立策划编辑出版过3个以上销量超过5万册的图书，或5个以上销量超过2万册的图书。

独立工作能力强。协同能力强。

选题策划经验和资源较为丰富。

积极参加图书营销工作，具备较强图书营销经验。

3. 高级产品经理

要求：

在业内有超过 5 年左右策划编辑、责任编辑经验。文案、书名和封面制作能力强，有自己的风格。

独立策划编辑出版过销量超过 10 万册的优质选题。

领导力强，团队意识强，有一定管理经验。

选题经验和资源丰富。有主动开拓新产品的渠道与经验。

全面深入参与或主导过畅销书营销工作。

具备根据市场需求研发产品的能力和市场趋势分析能力。

具备销售终端监控及数据分析能力，熟练掌握数据分析工具。

如果你的能力、经验更强，过去的业绩更有足够说服力，你甚至可以谋求产品总监、编辑中心经理的位置。

只要你能不断成长，就会不断晋升，空间就会不断扩大。

选题策划时，很容易遇到和同类书选题撞车的现象，这时就需要策划编辑善于推陈出新，采取全新的视角和切入点，或者挖掘出文本内容和营销等方面的亮点，或者加入漫画、专家评语，或者推出精装、毛边书、礼盒装、系列装、口袋装等方式进行重新包装策划。

著名图书策划人、出版人杨文轩先生曾在讲座中向策划编辑传授以下几点获取稿件和信息的方式，并对内容、封面包装等给出了几点建议：

稿件来源：

① 联系作家；

② 联系版权公司；

③ 作者主动投稿；

④ 联系组稿公司；

⑤ 书探推荐；

⑥ 发布征稿信息；

⑦ 文学网站和论坛；

⑧ 参加各种社交活动。

信息来源：

① 个人阅读；

② 图书订货会；

③ 图书馆、书店、批发市场；

④ 行业报纸和杂志；

⑤ 豆瓣和网络书店的读者书评；

⑥ 社会新闻热点；

⑦ 国外畅销书榜；

⑧ 港台实体书店；

⑨ 国外、港台出版公司的网站。

作者包装：

① 作者定位：如何标签化，让读者认同；

② 作者名字：对于名气不大的新作者，作品刚推出时，封面用吸引人的笔名，比用真名要好点。如安妮宝贝、安意如、白落梅等笔名，给读者足够的想象空间；

③ 形象定位：是高调还是低调在公众面前出场，要看作者本身的条件和意愿。

内容包装：

① 基本文本必须过硬，没有此基础，无论如何炒作，后劲都不足；

② 文字内容的修改：对文字基本功的基本判断。新手作家，文字虽然不规范，但是否有潜质，要判断作者的故事架构和文字表述能力；

③ 书稿的章节结构设计：碎片化；

④ 目录和标题的修改：特色化，韵律美；

⑤ 导读、序言添加：特色化、动情化。

封面设计：

① 封面网络呈现方式，网络展示和实体书平面展示不同；

② 设计趋势分析：封面美得要让人感到有收藏价值；

③ 封面设计工作准备：哪些是需要重点突出的文案、文案的位置及大小，想要呈现的整体意境等；

④ 把握封面设计几大要素；

⑤ 把握不同类型图书封面设计的不同风格；

⑥ 文字设计要点：清晰、美观、融入设计元素；

⑦ 工艺使用，咨询设计师、印制部门的意见，综合考量美观度与成本控制；

⑧ 把握审看封面注意事项和环衬设计要点。

总之，一个好的策划编辑最重要的能力是市场发现力和判断力、组织协调能力、包装创新能力等，需要在认真推出每一本图书的过程中不断学习和历练。

本小节实训项目 >>>

当下出版界，不管是出版社还是民营公司，均有不少策划高手。这些佼佼者是我们学习的榜样。请尝试用你能想到的办法和资源，与他们结识。最低标准包括：见到面、聊过天，要到名片或手机号码，微博或微信互粉。人脉是设计出来的，把你结识到的至少5位当下出版界策划高手的联系方式写下来。

第四节 营销编辑的成长规划

一、营销编辑的职位描述

营销编辑是负责图书媒体宣传与推广活动的专职人员，不负责具体的选题执行，但参与选题的策划，不直接承担发行回款任务，但会为渠道销售做全程的营销规划和服务。在一些人员规划比较清晰的出版单位中，每条产品线都会有专门的营销编辑负责该类图书的专项推广。

下面是一家知名出版机构招聘营销编辑的一般要求：

岗位职责：

1. 负责图书推广策划的方案制定与执行；

2. 负责媒体推广、活动组织策划、整体项目推进与监控；

3. 负责图书宣传资料的组织和撰写；

4. 出版社企划工作其他相关事项。

任职资格：

本科及以上学历，三年以上营销编辑工作经验；

具有较强的中文写作能力；

有媒体资源、活动组织、网络营销经验；

具有良好的人际沟通能力及良好的团队合作精神。

在传播媒体尤其是新媒体越来越多样化的今天，出版机构对营销编辑的能力要求也呈现出相应要求。如凤凰阿歇特图书出版公司的这则招聘信：

招聘信

你热爱图书，喜欢通过你的方式让图书更"亮"吗？

请加盟我们——凤凰阿歇特营销团队，这里有你的空间，让你成长。我们需要你——网络营销的"小能人"。

如果你有愿望，符合条件请给我发私信。

岗位职责：

1. 负责公司重点书营销、宣传（以新媒体、网络媒体为主）；

2. 配合责编，独立负责部门重点书营销（偏重新媒体平台）；

3. 根据不同图书特点，有能力、有热情提供创意性营销策划案；

4. 独立完成与网络媒体的沟通工作，推荐图书、线上活动、发布信息等；

5. 维护公司官方网站、微博的发布与互动。

岗位要求：

1. 熟悉大型门户网站相关频道的营销呈现方式；

2. 熟悉微博、豆瓣、及SNS社区平台的使用方式；

3. 能够熟练使用网络销售平台的营销方式（当当、亚马逊、京东、淘宝）；

4. 具有广告或营销文案撰写能力；

5. 了解新媒体、熟悉新媒体宣传模式；

6. 1年以上相关工作经验。

二、营销编辑的5年成长路线

（1）第1年，熟悉媒体。掌握基本的图文处理软件，有一定文案写作能力，能主动为一本书找到合适的媒体。

（2）第2～3年，学会运用媒体。熟悉业内图书活动营销、媒体营销各种技巧与运作，能熟练将一本书以全新的形象推出。

（3）第4～5年，让媒体主动找上门。拥有稳定并强大的媒体资源，熟悉签售、讲座等活动的举办，有带团队经验，对外能树立个人营销品牌。

营销编辑在第一年工作中，需要熟悉工作流程和内容，掌握一些基本技巧。工作流程和内容方面，需要系统学习新书上市前后的预热工作、百科词条的建立、当当网等网络书店的信息上传、媒体宣传手册的制作、各类媒体宣传方案的撰写和落实等，最主要的是学会如何联系媒体、和媒体打交道。在技巧方面，工作中会经常用到 Photoshop 等图形图像处理软件以及摄影相机、扫描仪等仪器，制作宣传海报、易拉宝等，因此除了要具备良好的文案写作能力外，平时也要练好这方面的基本功。

> **作为营销编辑，必须了解的媒体和媒体人**
> 需了解的媒体细节：特色定位→出版周期→版面安排→版面编辑→用稿标准
> 媒体用稿次序：好书优先→关系户优先→内容有保证者优先

入行后的两三年内，则要留心学习图书活动营销和媒体宣传的相关技巧，学会引导、运用媒体为本单位的图书做宣传。懂得如何组织新书签售会或新书发布会、如何布置展会宣传现场等，也要学会撰写活动方案、进行支出预算。

入行后的第四五年，则要能积累一定的媒体宣传资源，如各类重点媒体的联系人、联系方式等。可以按照报纸、期刊、网媒、电视电台等媒体载体形式归类划分，也可以按照综合性、地方性、专业性媒体等媒体性质进行归类划分，还可以按照综艺文摘类、财经期刊类、心理励志类、女性阅读类等读者对象群进行

图 1-1 营销编辑工作中常用的媒体分类

归类划分。总之，一个强大而有针对性的媒体资源数据库，是一个营销编辑的财富宝库。留心积累，对工作的开展大有好处。

此外，在日常营销工作中，还要注意向有经验的营销人员学习，尤其是要注意一些细节问题。

《中国图书商报》的编辑李鲆老师曾写过一篇《营销编辑七宗罪》的文章，对营销编辑的日常工作和成长给出了很好的指导，这里简单介绍一下：

第一宗罪：快递新书没名片

快速新书时，书里一定要夹名片，而且最好用曲别针或者双面胶固定一下。如果是塑封书，最好把塑封去掉，再把名片夹进去。

还有个方法是，不用名片，去刻一个长条章，内容包括你的单位、姓名、联系方式之类，盖到扉页上即可。

第二宗罪：微博、QQ用昵称

工作用的QQ（包括MSN、飞信、微博），不要用昵称，最好由两部分组成，即"单位+姓名"。签名栏、微博的个人说明，都要公布自己的姓名和联系方式以及最近做的重点书，以方便媒体人员联系到你。

第三宗罪：邮件内容一团糟

邮件最好是"正文+附件"。正文，要有出版信息（含作者、译者、出版社、出版时间、定价），图书简介（二三百字足够），以及营销编辑的姓名、联系方式。附件，要有图书封面、详细介绍、序与跋、书评、精彩书摘、部分章节等。

附件最好不要打包，以方便对方浏览和下载。附件内容最好清晰而齐全：快速了解一本书和相关信息的媒体手册+新闻通稿+两三篇不同角度的书评+两三篇不同角度的书摘+作者专访通告+两个400K以上的平面前封+抠好白边的立体书影。这也是一个相当优秀和专业的邮件。

此外，还要注意发送邮件的文本格式、文件版本等，都要是通用的，以防对方电脑打不开。

第四宗罪：习惯脚踏两只船

熟悉相应的媒体，知道各位编辑的分工，有针对性地联系，避免出现同样文件发送两位编辑以至于重稿的情况。

第五宗罪：缺乏基本沟通力

做营销，必须有很强的沟通能力。嘴巴要勤、要甜；不要到了有事再找人家，平时也要经常打个招呼；能记得媒体编辑老师的生日等小细节，以增加被媒体人员记起的机会。

第六宗罪：懒到无药可以医

每天用谷歌、百度、必应、有道搜一下自己正在做宣传的书，通常这四个搜索下来，就少有漏网之鱼了。不要指望编辑通知，一来，他通知你是人情，不通知是本份。二来，人太多了，他很可能记不清谁是谁，可能会遗漏，损失的还是你自己。

不要总是只发群邮件，尤其是对重点接口媒体，有必要研究一下它们的传播需要，确保营销资料的上版率或者播报率。

第七宗罪：只发邮件不递书

对重点宣传的图书、重点推荐的媒体，除了发送营销资料外，最好寄送样书。

当然，不管是文字编辑、策划编辑还是营销编辑，好编辑都不是天生的，而是熬出来的。过去做编辑，至少要跟着老师做一年校对、两年助理编辑，看看前辈如何工作、如何与人打交道、如何"无中生有"和"有中生变"，打下编校书稿的基本功。现在的社会生活节奏加快，人才成长速度加快，但也不是两三年就能够熬成好编辑的，而是需要百炼成钢，羽化为蝶。想当一个优秀的策划编辑，更是不那么简单。因为，策划不是一个点子，不是一个简单的方案，它的完成需要各个环节的全程配合、协同作战，这就是全程策划。

本小节实训项目 >>>

营销编辑,最基本的就是要拥有一些媒体资源。请把你目前听到或看到过的媒体清单(包括出版业的报刊,也包括大众类的报刊)写下来,并给自己制定目标,并选择至少一或两家作为接下来大学期间专门研究的对象。

第二章

策划编辑就是项目经理人

第一节　从作品到产品

一、图书也是一种产品

我们已经习惯了如此表达这个时代：浮躁、喧闹、节奏快、疲于奔命的……在这样一个时代里，读书这种古老的行为大有被遗弃的可能，毕竟它不会直接创造经济价值，而我们是如此地看重经济价值，如此地看重自我的实现！自我实现这种带有浓烈成功价值的极致追求，恰恰给我们疲于奔命的生活以理论化的高度，它这样美丽、这样魅力，以致很多人竟抛弃了老祖宗津津乐道的传统生活方式。读书，就是其中之一。作为出版从业者，面对这种变化，必须要面对的问题是：你做的是作品还是产品？

坚持做作品是好的，是值得我们敬重的，尤其是那些花费成年累月的经历塑造一本书的作者，更应该得到社会的尊重和认可。但，如果是商业组织行为，比如花费一年时间出版一本书、几本书，那生产周期就显得太长了。因为出版机构要生存、要发展，就要在特定阶段内，充分使得利益最大化，不能都做时间成本太高的事情。

以前，我们策划选题是一个环节，紧接着就进入编辑加工阶段，中间缺失的正是产品环节。没有产品概念的时候，书就是书，不构成一个产品。产品一定要包含各种属于产品的元素。编辑都知道很多细节该怎么做，只是没有从理论上重新定义一本书在面向读书者时应该注意的点或要素。

假如把一本书卖给收入偏高的一个读者群，自然要求产品精细、品质到位，图片的选择和细节地方也要做足工夫。如果能够满足他们对这些要素的需求，这本书就构成了一个产品。但又不是每本书都需要这样来做，所以经常强调产品感，又很难能够笼统地概括出来一本书到底需要做哪些产品要素。

以往，与图书发生对应关系的人群叫读者，事实上，读者本质上还是消费者。从产品属性的角度出发，图书与皮鞋、啤酒可以相提并论，都是吸引消费者购买，满足他们的需求。任何阅读都是一种消费，需要我们把产品这个词放大，把消费这个词放大。

既然是消费，跟卖吃的、喝的、穿的一样，就得按照研究市场风向和消费者特征的逻辑来思考卖图书这门生意。文化产品一定要看它与大众之间的关系，首先要看这个产品给什么样的人来读，必须非常清楚地知道消费者是谁；第二，消费者对这个产品会不会有需求；第三，如何把产品通过各种营销方式让消费者知道，并且让他们产生购买欲望。总之，所有的产品在本质上都是一样的。

二、好作品不等于好产品

好的作品不等于是好的产品。因为从作品到产品，还有很长的路要走。所以，这才需要策划编辑的"再创作"。

比如畅销书《李可乐抗拆记》。本来，作者李承鹏已经有6万字的初稿，但要全部推倒重新来写。在这个过程中，主要考虑一个现实题材的小说，怎样写能既有真实感，又有文学性。"黑色幽默的语言风格和这个社会现实相结合，就变成一个笑中带泪的小说，很大地提高了它的文学性"。但到此为止，只是创作完成了一部作品。

从作品到产品的第一步是书名。比如有一本书《裸婚》，书名本义是"不矫情、不掩饰，赤裸裸的婚姻真相"。然而，此书上市期间，民间刮起一股"裸"文化的风潮，只有领证一项的结婚形式，以"裸婚"二字风靡网络。尽管映射的意思迥然不同，但是这本书却借着网络潮流歪打正着，引得不少年轻白领之间奔走相告，口口相传。

这是一种口碑相传的递进式效应，第二波的读者是通过第一波读者部分情节的透露和推荐，从而产生好奇心。也许，第三波的潜在读者可能平时都不怎么买书，可这不代表他们对文学没有向往，本质上读小说或其他文学作品，这个需求是大量存在的，而且这个需求是隐性的。受到更多的人群"诱惑"，这一波人也会尝试买一本看看。要完成这个递进效应，就需要编辑是"能工巧匠"，把作者的"好作品"打造成一个读者喜欢的"好产品"。

三、强调产品不代表忽略内涵

当然，我们强调产品，并非是忽略了图书作品本身的内涵。形式和内容需高度匹配，绝不做形式大于内容的事。

从某种意义上说，形式与内容孰高孰低的纠缠，内在地表现为成本分配之间的纠缠。如果在内容上耗费了较大成本，在形态上投入的自然就少了；反之亦然。纵观目前的图书市场，大部分非著作类图书（以编、主编、编著）往往带有这样的倾向：形式大于内容。这是非常不好的选择，读者买了此书，虽然其消费行为已经完成，但通过阅读，发现内容比较匮乏，收获并不大，时间久了，就很难再购买了。等到大部分读者有了这样的眼光，出版的日子就会更加艰难了。

因此，比较聪明而且富有远见的出版机构，会在形式和内容上找到均衡，通过内容来从根本上吸引消费者，这是一项长期的投资，积年累月，就会逐渐反映到品牌上，而未来一切商业的本质竞争，都将是品牌的竞争。

本小节实训项目 »»

从小到大,你一定有自己的"作品",不管是随手的画画,还是信手的涂鸦,小诗歌,小哲理句子,原创微博,QQ心情……请把这些属于你的"作品"收集并整理出来。

第二节 从 PD 到 PM

PD，就是"产品设计师"（Product Designer），它指的是一个企业中负责产品设计和开发的人员。

PM，就是"产品经理"（Product Manager），它指的是企业守门员、品牌塑造者，更是营销骨干。产品管理（Product Management）制度既是一套完善的营销运作制度，更是博大精深的营销操作。举凡产品从创意到上市，所有相关的研发、调研、生产、编预算、广告、促销活动等等，都由产品经理掌控。产品经理依据公司产品战略，对某个（线）产品（介质、服务、品牌）担负根本责任的企业管理人员。

1927 年，美国 P&G（宝洁）公司出现第一名产品经理以来，产品管理制度逐渐在越来越多的行业得到推广，并取得了广泛成功。自此，国内多家领先企业相继采用产品经理管理模式，走出了产品研发的"象牙塔"，使产品研制开发有的放矢，快速地满足客户的需求。

一、产品经理就是没有实权的 CEO

近几年来，产品经理的概念也被引进到出版业中来，做得比较成熟的有磨铁、读客等民营出版公司。

当下的图书策划编辑，不应该只是一个简单的案头编辑，也不是只会拉来项目的二传手，他必须成为一个项目经理人，或者说是必须成为产品经理。

产品经理是每个产品牵头人，对某个产品在集团内的盈亏负责，为这个产品的运作去协调所有的人，并充分地协调这个产品的所有运作环节和经营活动。

一般来说，产品经理是负责并保证高质量的图书产品按时完成和发行的专职管理人员。他的任务包括：研究消费者需求；负责图书产品功能的定义、规划和设计；做各种决策，保证开发队伍顺利开展工作及跟踪后期营销等；认真搜集消费者的新需求、同类书的资料，并进行需求分析、竞品分析以及研究产品的发展趋势等。

1. 产品经理必须全程把事情负责到底

产品经理，是贯穿图书全部生命周期的核心人物，从选题策划、装帧制作、宣传推广等整个运营过程都要把握，并且有相应的业绩指标。其他诸如编辑部、印制部、销售部甚至这个单位的领导，其实都是围绕产品经理的工作进行配合的。

有人开玩笑说，产品经理就是没有实权的 CEO。记得当年刚入行到出版社当策划编辑时，那时我的老领导，也就当时出版社的社长说了一句话，让我印象深刻："你们策划编辑其实权力最大，连我都是为你服务的。你看，你要给作者结多少钱，都是你说了算，我只是签个字儿。"

那个时候虽然出版业还没有引进产品经理这个概念，但是这种理念已经被有远见的出版人开始意识到了。

2011年，磨铁公司首创产品经理的职位，他们把一批表现突出的编辑提上来，职务上不叫编辑了，而是叫产品经理。产品经理和以前的编辑不同，不仅要有想法，更要有办法；不再是负责其中某个环节，而是全程，比如包装、创意，必须把这个事情负责到底。

在图书的出版过程中，产品经理是这个项目的领头人，是协调员，是鼓动者，但他并不是社长、不是总编。作为产品经理，虽然针对自己负责的图书开发本身有很大的权力，可以对这本书生命周期中的各阶段工作进行干预，但从人力资源管理角度上讲，产品并不像一般的经理那样有自己的下属，但他又要调动很多资源来做事，因此如何做好这个角色是需要相当技巧的。

2. 产品经理首先必须是一个爱书的人、正直的人

出版一定是一个群策群力的活动，如果把它比作赛艇运动，在最前面擂鼓喊号的是产品经理，他不但要每个参与者都使足力气，而且要协调所有的参与者，将他们的力气往一处使，他还要保证所有人的方向都是一致的，都知道朝哪个方向走，不能出现有人用力不对的情况。

产品经理要有独立解决问题的能力和动力，把图书看做自己的孩子，怀着热情和激情去做事。这种热情决定他是主动的，而不是被动地去做事，是为了不断提升自己的价值和能力。他们对图书有一种本能的热爱，怀揣对优秀图书产品的热爱和尊重。这份热爱是产品经理必备的素质，是他们夜以继日克服困难、完善产品的动力。这份热爱能感染团队成员，激励所有人。

图书出版是一项投入和回报周期都很长的项目，在漫长的项目周期里，产品经理需要付出的努力和承担的义务并非一成不变。有的阶段比较轻松，有的阶段则很紧张。但是称职的产品经理对产品的关注和忧虑程度以及愿意为之付出努力的热情是不会改变的。

> 产品经理通常被赋予管理及营销特定的产品线，品牌或服务的责任。在某些情况下，产品经理也可能被冠以品牌经理、行业经理、顾客细分经理等名称。
> ——《产品经理的第一本书》

在所有产品团队成员里，产品经理最能体现出版机构和图书的价值观。通常，产品经理不直接管理团队成员，不能要求别人执行命令，所以他必须通过行动影响、说服身边的同事。这种影响基于相互的信任和尊重，要求产品经理必须是一个正直的人。

二、产品经理需要哪些能力

产品经理是出版机构的核心人员，是把图书产品的构想变为实施蓝图的设计师。产品经理一直是出版界中稀缺的人才。表面上，似乎谁都

可以做产品经理，因为谁对图书都可以提一点意见，但是这些需求可能往往是个人的偏好，并不代表绝大多数消费者的核心需求。表面上很容易的事情，实际上却需要很多综合素质，产品经理不是偏才，真正好的产品经理一直很稀有。

那么，产品经理需要哪些能力？

1. 懂得规划

对图书产品线布局的熟悉，对自己负责项目的定位和布局，埋头自己的一亩三分田，在自己的产品线上深耕细作；产品经理应该知道自己能做什么，更应该知道自己不能做什么；具有强大的逻辑分析能力，逻辑分析能力对事情的分类、归纳等方面至关重要。

2. 商业意识

出版是一门商业，出版更有一套方法。按照这套方法，我们要分析产品的商业价值和市场盈利所在；洞察力是发现市场的本质，挖掘消费者者需求的敏锐反应能力；满足将来的趋势，规避或减少进入者，提高进入门槛，降低成本。

3. 快速学习

图书行业的变化非常快速，整个市场也是如此，随着互联网和多媒体技术能力的提升，能够为消费者提供越来越好的产品，消费者的需求也是变化，需要不断地为满足消费者的需求而努力。出版行业将会不断地诞生新的想法、新的概念、新的技术，只有快速学习新事物才能跟得上出版业的脚步。

4. 换位思考

有的图书编辑策划出一些图书，内容和形式非常完美，却不是消费者需要的。自己认为完美的图书，消费者不一定接受。真正的产品经理首先要求自己做一个观察家，忘却自己的喜好，挖掘消费者的核心需求。策划选题的时候，需要换位考虑问题，时时刻刻从消费者的角度来取舍决断。这一点说起来容易，但是实现起来很难，需要在实践中不断磨练才能达到。

5. 准确表达

好的图书产品的实施需要把想法表达出来，让同事、领导明白自己的想法，同时最后还需把想法变成具体的策划案，这些都需要具备准确表达事物的能力。

6. 善于沟通

沟通能力是产品经理的必须技能，他需要担负与其他相关人员等传达选题和图书的本意，这需要沟通的技巧。一本图书的成功始终需要靠团队的力量，只有各方人员良好合作，才能设计出优秀的产品。

总体上来说，产品经理依靠创意和产品说话，他们应该对出版某特定领域拥有独到的研究和眼光，善于在变化的市场环境中发现商机；可以独立开发优质选题，并对成品面貌和市场前景有充分的预期；善于运用各种各样交错组合的手法形成新的概念、理念，并有效融入产品之中。优秀的产品经理不仅可以发现好创意、实现好创意，还应有一定的跨领域研究能力，能在多领域之间实现快速切换，通过模仿、借鉴、排列、组合等手法服务于出版领域；另外，广泛的人脉资源和较强的单兵作战能力亦不可缺少。

本小节实训项目 >>>

请阅读《产品经理的第一本书（第二版）》并写下一篇不少于1000字的读后感。相关信息：

作者：（美）哥乔斯 著，戴维依 译

出版社：中国财经出版社

出版时间：2004年1月

ISBN：978-7-5005-6939-8

定价：39.80元

第三节　从快销品到快销书

在出版界有一个不争的事实，那就是现在的图书生命周期越来越短了。有人惋惜、有人沮丧，其实大可不必。这完全是市场竞争的基本规律。我们理解这种惋惜和沮丧的心情：一本书从策划到内容，再到市场铺货、产生购买、资金回笼等环节，堪称漫长。总的周期太长了，却在不到一年的时间里再也卖不动了，岂能不可惜？

既然市场规律无法跟着我们的意志走，我们就该顺着市场规律走。一般的图书划分是：动销书、畅销书、常销书和滞销书。人人渴望制作出畅销书和常销书来，人人讨厌滞销书。其实，有些书可以按照快销品的思路来做，由此生成一个快销书的概念。

一、不追求畅销书的销量，但追求销售的速度

快销书和畅销书相比，其生命周期更短，一般在一年之内。过了这一年，周期的变化就导致它很难再有读者。那么，就该在这段时间内，争取最快的速度、卖到最多。

快销书自身的思路是：既然只要存在一年（甚至更短），那就让它在这段时间内做到最好的市场表现。

二、很多书适合走快销的思路

首先，在教育用书中表现明显，比如每年一次的高考满分作文、中考满分作文，就属于快销产品，因为其效力最大值就在一年之内。

以 A 出版社的《2009 年高考满分作文》为例，它最早在 2009 年 8 月份就面世了，自然大受读者欢迎。因为大面积的本年度满分作文要上市，还要等到 10 月份甚至更久。它抢占了市场第一消费点，抓住了黄金时间。次年，它再次以最快的速度上市，每年一次，由此最大程度占有了市场。

其次，大众文化教育类图书。这类的书竞争异常激烈，因为对各家出版社往往没有硬性规定，简单说：哪家出版社都可以出版。因此，也造成了异常活跃、竞争异常激烈的局面。如果出版社换一种思路，以快销书的思路展开，可能会在激烈的竞争中利于不败之地。比如 A 出版社出版了一套文化教育类图书，拟总发行 3 万册，发行 3 年；B 出版社也出版了类似的文化教育类图书，发行 1 万册而已，拟在一年内销售完毕。从实际效果看，B 出版社比 A 出版社要有很大优势。

（1）一年时间，市场会发生很大变化。B 出版社可以利用迅速回笼的资金再做其他产品；这样一来，资金的周转频率提高了，有效提升了资金的使用效率。

（2）由于市场竞争激烈，A 出版社的图书，随着时间的变化，有可能被其他出版社的崭新产品冲击掉，读者若通过对比发现，A 家出版社的书已经有点旧了（读者的主观感受），就可能选择其他的。

（3）从经济学边际效益递减的规律看，发行 1 万册容易，发行 3 万册也可以，但是要付出更多的代价。（除非是畅销书，有强有力的其他要素起作用，比如知名作者、电视广告营销等。）

再次，社会热点类图书。每年都会发生一些热点问题，可以通过图书出版的方法创造价值，比如 2008 年四川汶川地震的发生，很多出版社借此出版了有关感恩励志的图书、有关灾害避险的图书，制作周期超短，效果不错。又如 2009 年 6 月，美国著名歌手迈克尔·杰克逊的逝世，短短一周时间，就有他的自传上市。这就是针对社会热点出版的快销书，这种书不会有过于长久的市场，谁快，谁就最大程度上占领了市场。

三、抓住若干快销书占领市场，强过一味寻找畅销理念

实际上，畅销书的出现是多种因素综合构成的，比如于丹、易中天、余秋雨等人的书，都有全社会的诸多外力造就，从本质上说：他们的书所以畅销并不是发行的直接效果。这样说，并不是否定出版社发行的作用，与中央电视台的强力报道相比，出版社的营销作用要逊色不少。所以，有些书要把它当做纯商品去销售，要在特定时间产生高价值。这就是运用快销的思路作书。以《红楼梦》为例，它也可以通过快销的做法来做。大家知道，《红楼梦》最有名的版本恐怕就是人民文学出版社的了，其他出版社尤其小出版社出版的《红楼梦》若想在品质感、权威性上超越人民文学社，是很难的。那么，若以快销的思路来做，在一定时间内，比如一年，制作一个精美的版本，然后印刷1次，考虑市场空间，适度印刷，然后在一年时间内（很短时间）全部卖掉。次年，可以再根据市场变化，通过研究消费者的喜好，再做新版的。这时，设计封面、构造良好的外在形态，就显得至关重要。

图 2-1 人民文学出版社版《红楼梦》

四、快销书是对短周期的高效运用

快销书只讲究一个字：快。要用最快的速度抢占市场，然后迅速回笼资金，再涉猎其他产品。说白了，有些图书要像杂志一样，首先设定一个短周期，在最短的周期内创造最大的经济价值。

当然，综合来看，并不是所有的书都可以做快销，但这种方法可以

有效填补图书生命周期短的问题，也有很多的技巧在里面。随着市场竞争的加剧，一切以市场需求为着眼点，优秀的出版人会从中抓住大量的机会，这需要编辑改变思路，作出相关的调整，以求在竞争激烈的市场上生存下来，并获得发展。

本小节实训项目

读客图书公司在2006年末成立,独特的卖书方式使其被出版同业、经销商、销售终端、读者关注。读客的网站上写道:读客是当今中国最会卖书的图书公司。如何会卖,其董事长华楠说:"我们的核心就是,用卖快速消费品的方式,更直接说是用卖日用消费品的方式,用卖牙膏的方式卖书。"请查阅资料,看《藏地密码》系列书是如何畅销的,并记录一下你对读客公司做成"单品王"的心得体会。

第三章

策划编辑必备的职业素质

第一节 九大职业能力

一个优秀的图书策划编辑，应该具备怎样的能力？应该说，这个问题不好明确回答，答案可能是各种各样的，而且在现实生活中，没有人可以做到完美——无法均衡具备各项素质，但只要在某些素质上相对擅长，就能形成独到的策划方法。

一、信息力

当下是一个信息时代，每天每时甚至每一分钟，我们都可以从各种渠道轻松地获取信息。信息传播的繁荣普遍增加了人们的幸福感，令我们与世界同步。不过，糟糕的是，过度的信息传播也在干扰人们的生活，有时令人失去方向感。

信息搜集、整理能力是当代社会一个优秀的人才应具备的基础素质之一，若想成为一名优秀的图书策划编辑，这点算是基本功。它包含了两个层次：一个是基础的搜索能力；二是整理、分析处理能力。

我们一般采用搜索引擎查找需要的信息，无论是百度、谷歌还是其他搜索工具，重要的是，首先应该想到你要查找的目标有可能在哪里。毕竟，彼此重复的信息太多，符合我们真实需要的往往较少。加上搜索过程的机械性，容易令人感到疲劳，很容易令人失去耐心。擅长使用搜索引擎的人，不会迷失在信息的海洋之中，他会聪明地选择关键词，有效排斥无价值信息的干扰。打个最简单的比方，如果想在自己的家里找到《三国演义》这本书，书架就是首选，再放大一点就是卧室、客厅等，绝不会首先去厨房、卫生间等地方。但是，搜索引擎给出的结果往往是将厨房、书房、卧室、卫生间并列呈现的。

分析处理能力也很重要。找到了需要的信息，如果不能为我们所用，它就是没用的。优秀的策划编辑会在各种有价值的信息之间寻找内在联系，从而发现信息漏洞，为弥补这一漏洞，就可能产生新创意；或者通过研究各种信息之间的规律，发现更深层次的东西。

时代信息已经呈现出碎片化的趋势，要想在各种信息之间形成整体的效果，满足特殊的需求，就要善于搜索（在最快的时间内找到它），善于分析（通过一定的方法为我所用）。

二、概括力

高度概括能力是一个人思维成熟的表征。很多人因为缺乏这一点，就无法提炼出简洁、精致、有冲击力的选题。事实上，大多数选题策划诉求点的提取，最终都要以最简洁的语言传递给读者，这也涉及定位的鲜明、繁琐就是失败、削尖了的信息容易被读者记住等传播学规律。一般来说，如果是文字传播，越概括，冲击力越大；越繁琐，效果则层层递减。

三、研究力

目前的策划编辑基本上是从文字变化（文字工作、文化工作者）转型而来，就是说，往往是长期从事某内容领域的图书出版，逐渐过渡到策划这一环节的。所以，一旦从事策划工作，就从最熟悉的内容着手。这样做，有助于做精深、讲求细节。这也符合文化行业内容为王的基本业态特征。

此外，优秀的策划编辑往往是跨领域策划的高手，但这不意味着他自己擅长各领域内容，这需要各行业作者的充分介入。但是，就专业性而言，强大的内容研究领域有助于构成专业感，有利于专业权威的形成，从而为总的品牌建设服务。

就实际而言，更多的出版机构喜欢专业性较强的策划编辑，这从出版机构招聘策划编辑时强调内容就看得出来。

四、阅读力

第三点已经提到：高端的策划编辑往往是跨界策划高手，加上优秀的策划需要对内容的高度熟悉，借此提取策划要素。因此，快速阅读能力就显得至关重要。如果你长期从事财经类图书的选题策划，若想策划心理学图书，就应该拥有快速阅读能力——通过短时间快速阅读，迅速熟悉心理学这一领域的基本内容，为有效提取策划要素做准备。

总的看来，一般的策划编辑都拥有较为广泛的读书兴趣，需要强化的是：快速掌握另一个内容领域，为精准策划做基础。

五、社交力

策划编辑的工作与广泛的社会活动分不开，需要接触各行各业的人。客观上要求策划编辑具备一定的社会活动力，更重要的是：如果你独立承担策划工作，还要积极与出版机构打交道（出版社、民营出版商等），为了推广自己的优秀选题，策划编辑就会扮演一个营销者的角色，这样一来，对谈判的要求就大大提高了。

优秀的策划方案并不意味着直接的经济效益、社会效益，它需要策划编辑通过一定的手段，形成最终的产品，才能走上市场与读者见面。

六、判断力

优秀的策划编辑往往用自己的眼光不间断地跟踪市场变化，形成一双独特的眼睛。根据这双眼睛，可以敏锐判断读者需求的变化，精确找到图书的卖点。这种眼光的形成，需要长期的行业经验，需要一定的专注力。没有太多的捷径可走，必须持续观察，反复思考，长久坚持，形成足够的兴趣。

七、想象力

当我们是小孩子时，想象力一般比较丰富，随着年龄增长，似乎想象力逐渐丧失了甚至产生一定的想象力枯竭感。这是走向策划思想之路的一大障碍。保持想象力确实不容易，但如果没有优秀的想象力，基本上无法做策划。为什么？策划是一项原创性工作，是从无到有的过程，没有的东西如果首先不被想象出来，怎么做？

可以参考一些培养、保持想象力的书籍，让自己的大脑保持在灵活畅想的程度，比如经常用脑做想象性思考，保持充沛的精神和健康的身体，等等。

八、创新力

创新是策划的灵魂之所在。不过，太多的人对创新存有极大误解，总以为创新就是发明、就是创造，就是只有爱迪生才能做的工作。这就大错而特错了。简单说，创新就是重新的排列组合，就是玩魔方。在对内容极为熟悉的情况下，结合读者某项特定需求，从内容中整合若干要素，进行重新的排列组合，或追加属性、或强调价值，从而在总体上满足消费者的需求——这也是一种"二次创新"。

九、逻辑力

抽象逻辑思维是人在成长的过程中渐渐形成的，它也可以通过一定的思维训练快速提高。擅长逻辑思维推演的好处是明显的——可以深刻洞察事物发展的根本规律，可以令人深刻不肤浅。有了抽象的逻辑思维能力，可以令策划编辑在众多的繁琐中看到简单，从肤浅的现象中看到本质。

当然，以上九大能力的前提是勤奋。勤奋是做好一切事情的必备条件之一。一个人如果不勤奋，就享受不到工作的乐趣。一个策划编辑如果不勤奋，就无法常去图书市场，无法看到最新的市场信息；无法提高工作效率……勤奋也可以弥补很多不足，比如你不够聪明，但是勤奋一样可以造就未来。对策划编辑来说，不光要腿脚勤奋，还要头脑勤奋——善于思考。实际上，很多好创意都是在勤奋的思考中渐渐形成的，所谓灵感也不过是上帝对勤奋思考者的一种馈赠罢了。

总之，构成优秀策划编辑的条件非常多，无论在哪一方面做透、做精，都有助于核心策划能力的形成，都可以打破你原本平庸的工作，并享受创造性工作的巨大乐趣。

本小节实训项目 >>>

所有一切能力的前提都是勤奋。爱阅读是一个图书编辑基本的素养。请制定自己本月的读书计划，包括：一本人物传记、一本专业图书、一本文学作品。

第二节 五大职业化技能

身为职场人,就必须职业化。不仅包括心态上的职业化、工作习惯上的职业化,更包括技能上的职业化。

因此,掌握基本的工作技能是非常必要的。然而,很多职场新人因为刚刚进入企业或因为学校时期和在家里时没使用到或用得少,一些基本的技能并不熟练。有人做过调查,有八成以上的毕业生入职之前没使用过传真机。

对于图书策划编辑来说,一些基本的职业技能是不可少的。简单来说,大体有五类。

一、OFFICE 办公软件

每个行业的要求不一样,但三大办公软件基本都是必须了解的。

一个合格的编辑,要学会用 Word 做文字排版、用 PPT 做总结、用 Excel 做统计。

无法想象,当领导让你交给他一份文案时,完全没有任何格式的排版。

更难理解,当你在向部门做工作汇报以及个人展示时,不会使用 PPT。

很难明白,当你做年度或季度总结时,不会使用 Excel 做出图表辅助。

不少编辑出版学专业的毕业生的简历上都写着"熟练掌握计算机办公软件",那么,到底"熟练"到什么程度?

那么,问问自己:

我能成为单位里的 Word 高手吗?

我能成为单位里的 PPT 超人吗？

我能成为单位里的 Excel 达人吗？

具体关于这三大软件的运用，这里就不赘述。技术的运用可以在工作中不断学习和完善。

> **小提示**
>
> **Word 使用**
>
> ◆ Word 的三大功能
> ① 查找与替换功能。
> ② 索引和目录功能。（抽取标题形成目录，便于看整体框架并随时定位）
> ③ 修订和批注功能。
>
> ◆ Word 运用中的两个好习惯
> ① 两页以上的文档，记得插入页码。
> ② 打印时，如最后一页只有两行，可通过调整页边距、行距等缩一页（"页面设置"功能）。
>
> ◆ Word 的图片处理功能
> ① 组织结构图。
> ② 图文混排。
> ③ 使图片白色背景去掉。（两种办法：图片设置透明色；用 Photoshop 处理后保存为 png 格式，再插入 Word 中）。

二、办公器材使用

编辑作为一种职业，在日常工作中肯定要与各种办公用品打交道。

比如与作者签订出版合同，比如打印书稿，比如给媒体发传真，比如扫描图片或文件，比如复印各种证件，这些都是必不可少的。

因此，作为策划编辑，必须学会使用传真机、打印机、扫描仪、复印机等办公器材，对这些器材的使用，甚至必须比其他行业的人要更熟练。

关于上述办公器材的具体使用方法，可以参考一些专业书籍，或者从网上搜索学习，当然，最简单的办法就是在工作中自己不断实践，自己结合在出版工作中遇到的问题而自己摸索，或者主动向有经验的前辈请教。

三、图片处理

对于策划编辑而言，并不是说要像专业的美术编辑和设计人员那样精通图片处理技巧，而是在当下以及未来网络书店渠道比例逐渐增加的趋势下，在眼球经济时代，懂一些美学知识，懂一点图片处理技术，还是很重要的。比如想在网络书店做专题和重点图书推广，那么就需要做各种图；比如想做图书的微博营销，那么就要做长微博，这就更要会做图。因此，策划编辑要懂一点图片处理的技术。如此，是为了更好地沟通、更高效地工作和处理突发的事件。当然，策划编辑不能代替美编把专业的事情做了，主要精力还是要放在研究文案雕琢上。

四、排版软件

常用的编辑软件有Indesign、方正飞腾、方正书版和Pagemaker等。其中，Indesign和书版较为常用，书版是一种代码式输入，非直观操作，比较难掌握，但是方便做系列图书的排版，版式容易固定。而其他三种都是可视、直观的设计软件，相对比较容易掌握。

五、音、视频处理

在如今的多媒体时代，传统的宣传推广方式，比如设计海报、撰写书评等方式已经无法满足全方位图书宣传的需要，一些书还需要音频、视频格式的宣传配合。比如你需要下载某个音乐作为幻灯片的背景，比如你需要剪辑某个视频的其中一段，比如你需要在某个视频上加上字幕，这些当然有专门的人可以做，但是，俗话说，技多不压身，作为最了解图书信息和特点的人，策划编辑如果能掌握或了解一些这样的技术，可能会更加游刃有余，做起事来会更加高效。

本小节实训项目 >>>

选择一本图书（也可以是本教材），做一个PPT宣传片。要求：不少于10页，里面必须至少有8张图片，链接一个视频文件。

第三节 成为复合型人才

复合型人才就是多功能人才,其特点是多才多艺,能在很多领域大显身手。当今社会的重大特征是学科交叉,知识融合,技术集成。这就不仅要求策划编辑在专业技能方面有突出的经验,还要具备较高的相关技能。

一、社会发展相应要求的六种知识结构

关于策划编辑的职业规划,可以用下面这个图来表示社会发展相应要求其具备的几种知识结构。

"I"型 深度足够但是广度不够

"一"型 广度足够但是深度不够

"T"型 深广度都够但是不敢冒尖

"十"型 掌握的专业技能还不够多

"Π"型 适应目前社会的人才类型

"木"型 未来社会需要的人才类型

图 3-1 不同时期的编辑 6 种不同类型的知识结构

1. "I"型

这种人只有专业技能,但知识面很窄,深度够但广度不够。就如同在原始社会,男人掌握狩猎或女人掌握织布就可以生存一样,到了现在社会早已过时。

2. "一"型

这种人能力很全面，是一个杂家，博采众家之长，但缺乏深入地研究和创新。也就是说，宽度很广，专业能力却不强。这就是社会上出现大学的必要性。

3. "T"型

这种人不但有一门专业技能，还有较宽广的知识面，在做专业性工作时能有比较深入的研究。但是，他们的缺点是不能冒尖，没有创新。

4. "十"型

这种人既有较宽的知识面，又在某一点上有较深入的研究，他们适应能力强，敢于出头，有很强的创新精神，但是掌握的技能还不够多。

5. "Π"型

这种人有较宽广的知识面，同时具有两门或以上的专业技能。这种人能同时做好多种专业性工作。这种人才在目前市场经济中有较强的适应性。

6. "木"型

未来社会发展和出版行业更加地倡导多元化，对策划编辑的要求越来越多元。"木"由一竖一横一撇一捺组成。一竖代表专业，一横代表综合素质，一撇和一捺可以代表毕业后自己进修的两种能力。这样的人集中了前面几种人才的优点，是真正的复合型人才。

二、复合型策划编辑人才的四个切入点

复合型人才之所以符合社会发展的需求，就在于"复合"二字。所谓"复合"，是指知识、技能和思维等方面的复合。数字英才网职业指导专家经过调查，总结出目前出版行业紧缺的几类编辑人才：① 既熟悉案头编辑工作又善于策划选题的复合型编辑人才；② 既熟悉网络知识又有编辑出版理论知识的数字出版人才和网络技术研发人才；③ 高端的出版领军人才和高水平的出版经营管理人才；④ 熟悉国际版权贸

易流程和规则的外向型版权贸易人才；⑤掌握现代物流企业运作规律的中高级物流人才；⑥熟悉资本市场运作的投融资人才。

复合型策划编辑人才，当然仍以策划选题为主，但如果能对以上行业紧缺的六类技能知识有所涉猎和掌握，必然会成为非常受出版界欢迎的优秀人才。

当然，这类人才除需要具备一定的专业功底和丰富实践经验外，还要热爱出版和传媒事业，了解出版传媒企业的经营特点和发展规律，具备全局的视野、敏锐的判断和分析能力、出色的学习和营销策划能力等。

具体说来，要想成为一个复合型策划编辑人才，需要从以下4个切入点入手。

1. 知识嫁接

知识嫁接不是简单的知识"拼盘"，而是将各类知识进行融合，相互补充、相互依存，自觉渗透、交叉，促进交叉知识、边缘知识在头脑中生化、成长。可以跨专业、跨地域学习，接受不同学校、不同地域、不同专业的学习，打破人为的专业"藩篱"，让知识自由流动。

一个善于触类旁通的策划编辑，对一部书稿的编辑加工程度和一般编辑是有显著区别的。编辑的"纸上功夫"，从对书稿的编排思想、图文处理、细节调整、封面文案撰写、营销思路等方方面面都可以折射出来。一部原本"平庸"甚至比较"烂"的书稿，到一个慧眼策划编辑手中也能"妙手回春"。

安妮宝贝的《春宴》，原本文字晦涩难懂、故事性弱，更多的是关于人生的一些抽象思考，主题不明确，如何才能吸引读者关注并畅销百万册？策划人路金波没有陷进纯文学的思维框架内，而是跳入哲学领域来理解这部书稿，提炼出"爱情哲学"这个主题，并挑选出"爱情只是一场注定散去的盛宴，可是春光这么好，你怎能不盛装出席？"这句话作为封面文案，立即使得该书稿有了卓然挺立的婉约气质。读者群也从安妮宝贝的粉丝扩大到对爱情有疑惑的广大读者。随书附赠的光盘，制作过程也是跨越多个知识领域精心打造，里面有官方壁纸、视频短片、主题音乐、广播剧等，极大提高了读者的阅读热情、增加了读者的阅读体验。很难想象，一个知识结构不多元、不丰富的策划编辑，能将这块璞玉打造得如此光彩照人。

2. 学好外语

今日的出版，国际交往日趋频繁，版权交易也越来越多，必须会外语，既要会"读"，又要会"说"会"写"。不仅要掌握一门外语，如果学有余力，还要掌握第二外语、第三外语。因为我们的对外开放是全方位的，是面向世界 WTO 所有国家的。

李肇星、杨澜等名人，在各自的职业舞台上大放异彩，英语无疑都是为其加分的利器。当然，这与他们的大学专业等受教育环境有关，但更归结于他们迎难而上、孜孜不倦地刻苦学习和训练。

莫言在 2012 年为中国人摘得了错失多年的诺贝尔文学奖，不仅仅是因为其小说丰富的想象力和独特的故事性，更得益于把他的作品翻译为瑞典文的译者陈安娜女士以及英文译者、美国著名翻译家、被中美媒体称为"唯一首席接生婆"的葛浩文先生等"幕后功臣"。

值得留心的是，把中国文学准确、传神、艺术性地翻译为外文的人才，目前仍很紧缺。村上春树主要作品的中文译者林少华先生曾感慨道："文学翻译是一件不容易的事，既能成全一个作家，也能毁掉一个作家。文学翻译的特殊性在于，它既关乎译者包括母语和外语在内的语言功力，更在于译者的文学悟性和艺术感性，能否准确传达文学作品语言背后微妙的艺术信息，从而再现原作的神韵和意境。"对于致力于图书版权交易的人才来说，除了要有扎实的中文和外文语言文字功底外，还要熟悉跨文化语言交际，有对作品比较到位的理解力。《话说中国》大型丛书出版当年，版权就被卖到了国外，除了选题本身的阅读收藏价值外，不能不说与其高质量的翻译文本有关。

策划编辑平时可多阅读一些外文报刊，如《经济学人》等，多听些诸如英国 BBC 等的外文广播节目，提高外语水平。通过关注法兰克福等国际书展信息，提高专业外文水平。

3. 熟练电脑

专业人才向复合型人才转化，不仅要能够熟练地操作计算机，还要结合专业和工作，学会编程和设计，进行上网学习和交流，了解本专业和相关专业的前沿状况及发展趋势，利用互联网交友和进行大型工程的协同作战。计算机操作已成为复合人才必不可少的技能。

策划编辑利用电脑除了能组稿、校对书稿、查阅资料外，还能做什么？

一是发现作者和选题。近年来的很多畅销书作者，都是"出身"于豆瓣网、天涯社区等网络读书社交平台，如南派三叔、天下霸唱就是分别靠《盗墓笔记》系列、《鬼吹灯》系列在网络上蹿红后，成为畅销书作家。

二是为书稿进行简单的版式设计和封面设计。一个略懂甚至掌握了排版软件、图象处理软件的策划编辑，和一个只会处理文稿的策划编辑相比，哪一个的工作效率和质量要高些？自然是前者了。图书排版和装帧设计等也是创意活儿，这要求策划编辑不只对书稿要有如何进行包装设计的构想，还要有能展示、传达给相关专业设计人员的能力。策划编辑如果能对这些环节有掌握，沟通起来自然会很快速、有效，也能敏锐发现设计中存在的问题。

三是精通 Word、PPT、Excel、Photoshop 等办公软件，用其辅助宣传营销。微博营销的配图制作、立体书模的制作、简单的图书海报或易拉宝的设计等，都是随手的功夫，策划编辑如有想法还能将之转化成实际成果，就不必事事烦劳设计人员，而且能将编辑的意图准确地反映出来，省时省心又高效。

4. 思维转换

面对同一个问题，要想方设法从不同角度去思考，得出多种不同的结果，拓宽思路。面对不同领域的知识，要善于用发散型思维方式去思考，并将思考结果加以比较，找出异同点，将知识信息加以对流、连接。

这一点在图书策划上，主要体现在三大方面：一是能敏锐抓住时代契机、捕捉新闻热点，能跳出出版看出版，提出多种选题操作方案，并能进行反复市场论证，得出最佳判断和定位。二是能在各类选题间转换自如，不致于出现做文学类书多了就做不了经管类书或者儿童类书这样的尴尬境况。三是善于逆向思维，不被一时的冷热市场状况所迷惑，而是有自己的独立判断和思考，甚至能从冷门领域发掘出畅销热点、随时代变化让传统选题重焕光彩，在营销运作方面亦能策划出大手笔。归结到一点上，就是能把出版提升到产品运作、项目管理的高度，系统而多角度地有序化、创意化地进行。

复合型策划编辑开发好选题还需具备以下优良习惯：

（1）眼勤。关注社会新闻热点，并有敏锐捕捉和分析判断信息的能力，有发现选题的眼光和组织落实选题的实干精神。"勤读报，善读报，你就会和世界息息相通。"新闻媒体的时效性和强大的策划采编队伍等，都使其成为图书选题策划的良好素材来源。一个优秀的复合型策划编辑，不仅阅读兴趣广阔，还善于从媒体报道中发现大众的阅读兴奋点、发掘组织选题的思路和线索。

平时可将这类媒体归类，进行针对性的阅读。做哪类书，就多关注哪方面的主流媒体。如想策划民生方面的选题，不妨多读读都市报；想策划高端人文社科类选题，不妨多读读《新周刊》、《中国新闻周刊》、《三联生活周刊》、《北京青年周刊》、《人物周刊》、《南方人物周刊》、《看天下》、《壹读》、《中国国家地理》等杂志；想策划时尚方面的选题，不妨多读读《精品购物指南》、《优品》、《昕薇》等杂志……

此外，除了纸媒、电脑外，还可在手机上下载些客户终端，进行随时随地浏览阅读。如微博、微信、各种媒体的移动阅读终端等，非常方便阅读各类新闻资讯、进行素材积累。策划灵感经常就是在这种不经意的阅读过程中迸发出来的。

（2）脚勤。经常去书店或其他地面店进行调查上架情况，与销售人员进行座谈、沟通，观察、询问、了解读者反馈和新的阅读需求。

如中央政治局关于改进工作作风、密切联系群众的八项规定出台后，多家出版社推出了以"脱稿讲话"为主题的出版物，北京时代华文书局的策划编辑在查阅北京新华书店的上架情况后，发现该社策划的《脱稿讲话：领导干部接地气讲话艺术》一书与人民出版社策划的《脱稿讲话》在上架类别上大相径庭，前者被摆放到了"人口学类"货架，而后者被归放到了"人才学类"货架，这一细微差别导致两本书被光顾的几率明显不同，影响到了销量。于是，策划编辑及时报告给本部发行负责人，并与北京新华书店取得联系，调换了上架分类和摆放位置，避免了更多的销售损失。

（3）脑勤。勤于观察、分析各类畅销书排行榜，善于对比同类书的文案、包装、营销策划技巧以及上架情况，借他山之石、补己方之短，不断在尝试中寻求创新和突破。

如《狼图腾》创造畅销奇迹后，浙江少年儿童出版社就瞄准了面向青少年的动物小说读物这个选题空白，最终推出了沈石溪的《狼王梦》，面向青少年读者讲述关于狼、爱、生命、梦想的故事，一举实现出版预期效益。

此外，还要善于动脑利用既有资源，重新发现包装传统选题、组合

图 3-2 《幸福了吗》、《痛并快乐着》

包装新旧选题。如白岩松新作《幸福了吗》2010年9月上市后，长江文艺出版社的金牌策划人金丽红等又及时改装旧版《痛并快乐着》，使得白岩松跨越20年的两部关于时代的作品相映生辉，互相拉动销售。其中，再版的《痛并快乐着》，一年之内就取得不俗的销售业绩。策划者在出版方面的商业眼光和经营头脑，都值得策划编辑们学习。

本小节实训项目

找一本英文的外版书,选择里面的一小节内容翻译为中文,然后再找出其中文版本,进行对照。看看自己的翻译与这个版本还存在什么差距。

细节一小动,结果大不同!
到位不到位,相差一百倍!

中辑
畅销书就是把细节做到位

第四章

市场化构思

市场化构思其实贯穿了整个出版过程，为侧重讲解重点内容，本章从选题策划、书名拟订、作者资源三个角度进行阐述。

第一节 选题切入

选题策划是指编辑人员根据一定的方针和主客观条件，开发出版资源，设计选题的创造性活动。选题策划是图书设计的中心环节，找准选题的切入点至关重要。

一、选题策划的"五形拳法"

1. 龙形练神——卖创意

龙形练神，即有创造性的想法或构思，有独特性，不落俗套，别具一格。

选题策划创意就是在瞄准读者市场，进行大规模市场调研活动的基础之上，对目标读者进行市场细分，进而找到目标读者的兴趣点，进行富有创造性的、以出版内容为中心的策划。在创意过程中，编辑的策划意图和策划思路不断与市场接轨，不断接近客观现实，对出版资源的挖掘和开发也会越充分，图书的质量和效益也会越高。

企业经营管理学一向被认为是一门高深的学问，有关这方面的图书大多显得枯燥。此外，经济管理类图书一直是"外国的月亮比较圆"，市场上反应火爆的大都是引进外国的版权书。2003年本土财经类图书《水煮三国》打破了这一局面，上市三个月销量即突破20万册。《水煮三国》最成功之处就在于它的创意:作者借助大家耳熟能详的三国人物和典故,酣畅淋漓地演绎了一场现代商战的故事,传达了企业人力资源和经营策划等的丰富信息。

无独有偶,《男人来自火星 女人来自金星》本是一本改善夫妻关系、保持美满婚姻的通俗性心理自助读物,但是作者不落俗套,以男女来自不同的星球这一新鲜、生动、形象的比喻作为全部实践活动的理论支撑点:即男人和女人无论是在生理上还是心理上,无论是在语言上还是在情感上,都是大不相同的。这一比喻贯穿在这本通俗的常销读物的始终。这一创意和比喻显然得到了普遍认同,出版后在各国各阶层的男男女女中产生了很大影响,《纽约时报》根据其销售量,将其排在畅销书排行榜前列,时间竟长达 158 周。

2. 虎形练骨——卖内容

虎形练骨,即图书内容过硬,经得起考验,如同虎骨钢硬,以刚制柔,气势逼人。

"内容为王"始终是畅销书选题策划所应遵循的黄金定律。所谓的"内容为王"就是要将图书内容放在第一位,要考虑所出版图书的内容是否有特色,能不能吸引读者,还要能够填补图书市场的空白,使图书具有某种不可替代性。

以《鬼吹灯》为例,2006 年 9 月,安徽文艺出版社出版了网络小说《鬼吹灯》的第一本实体书,反响不俗,而之后跟风出现的那些盗墓小说却难以如此,究其原因是《鬼吹灯》是"内容为王"的,它之所以盛行很大程度上源于在内容上填补了奇幻小说中"穿越和盗墓"领域的空白,主人公在盗墓过程中刺激的经历,夹杂着秘术、墓葬知识、异兽、鬼故事以及作者的奇思妙想,从而使内容奇特,读来有新鲜感,它恰是畅销书"内容为王"的一个例证。

2004 年,《狼图腾》在中国的图书市场掀起销售热潮,该书在中国大陆发行超过 300 万册,连续六年蝉联文学类图书畅销榜的前十名。好内容,正是《狼图腾》的独特魅力所在,也是其成功的重要因素。其责任编辑安波舜就说："《狼图腾》的书稿拿在手上，经验告诉我，它的曲折能打动人，它的主题的无意识形态性能冲破国界而为全人类凝望。几乎从一开始我就想到，它不仅仅能风靡华夏。"《狼图腾》是迄今为止世界上唯一一部以狼为叙述主体的小说，内容创新是它成为畅销书和精品书的关键。

3. 豹形练力——卖概念

豹形练力，即概念新颖独特，如同豹子一样敏捷有力，速度快，力量大。

营销学家罗斯·里夫斯曾经提出了"USP"理论，亦即"独特的销售主张"，通俗的说法叫"卖点"，即能引起读者或消费者关注、共鸣并激发其购买欲望的概念。俗话说，常销的图书卖内容，畅销的图书卖概念。

以励志书为例，其实内容大同小异，这个时候就要求炒概念，做出独特性，让人耳目一新，引爆读者购买动机。例如《六度人脉》，这是一本讲人脉关系的书，市场上同类书很多，但是它提出了六度概念，也就是六个维度，加入一些心理学分析和佐证，让读者觉得原来是这么回事，于是很快受到市场的欢迎。

卖概念最成功的一本书当要算托马斯·佛里德曼所著的《世界是平的》。作者认为，全球化1.0自1492年持续到大约1800年；全球化2.0大概从1800年持续至2000年，中间曾经被大萧条及两次世界大战打断；2000年世界进入了一个新纪元——全球化3.0。世界从小缩成微小，竞赛场也铲平了。因为互联网的出现，世界从此不再是圆的了，而是平的。此后，一系列跟风书或驳斥"世界是平的"这一观点的书纷纷出版，如《世界是弯的》、《在平的世界中竞争》、《世界又平又热又挤》、《世界是平的吗》等。且不管这个概念和观点是否正确，但看这本书所引发的争议就可以断定，作为一本商业性图书，《世界是平的》成功了。

4. 蛇形练气——卖话题

蛇形练气，即话题受人关注，如同蛇拳以气为先，意领身随，吞吐潮流。

如何找到能够形成大众话题、社会公众所关注的图书、文本拿来很好地策划、运作，或者从具备畅销书潜质的图书中抽出它的话题，让它形成社会话题、大众话题，这是策划编辑必备的一种能力和素质。策划编辑的职责是要把文学的话题、学术的话题转变为社会话题、大众话题。作品的内容主题具有话题性或者作者是话题人物，这样的书都容易畅销。能完成这种转换的书，很可能成为大的畅销书，完不成这种转换或者说本身不具备话题性，这种书也很难成为大的畅销书。这就要求策划编辑要关注社会热点，对热点要有预见性，提前准备好，或者成为话题的制造者和发动者。

比如，《谁动了我的奶酪》销量达到几百万册，它的话题是变化和适应变化；《中国式离婚》讨论的是传统家庭理论、道德观念与现在家庭理论、道德观念的不同，因为有了这种话题性，它成了畅销书。奥巴马、朱镕基是全世界关注的话题人物，因此他们的书也受到很多瞩目和关注；莫言2012年获得了诺贝尔文学奖，他的著作一夜爆红，在各大书店几乎都断档了。

5. 鹤形练精——卖作者

鹤形练精，即作者的知名度、影响力潜移默化，如鹤拳动势舒展，稳实轻柔。

在鱼目混珠、泥沙俱下的图书市场中，名家、名人、明星就成了出版社争抢的资源，名家越来越重要，越来越稀缺。尤其是畅销作者、主持人，如李开复、于丹、白岩松、杨澜等，其号召力不可谓不大。

各大出版商都有自己的名家资源，如万榕书业引以为傲的作者是韩寒、小妮子、郭妮等；长江文艺出版社则以郭敬明、白岩松、曾子墨、曲黎敏等人为武器；磨铁公司更多，南派三叔、当年明月、萧鼎、孙睿、朱德庸、冯仑、阿桂、陆琪、沧月等；凤凰联动生生做火了中里巴人、马悦凌、杨奕等养生作家，还有王跃文、杨澜、朱军等人；东方出版社有郎咸平和稻盛和夫；作家出版社有莫言和尹建莉；人民文学出版社有贾平凹、J.K.罗琳。

在封面设计上突出作者名字或放显著位置，最典型的是柴静的《看见》，封面就四个字"看见"+"柴静"，连"著"都不用写了。

虽然名家是一块金字招牌，但也不是说名家作品就一定好卖，这里面还有策划和运作的问题，懂市场是关键。如J.K.罗琳，其代表作《哈利·波特》风靡全球。2012年，她在《哈利·波特》之后的转型之作《偶发空缺》在中国出版界也引起了版权的疯狂哄抢，但是该书上市之后遇冷，销售出奇惨淡。

选题开发有两种思路：先有选题，再根据选题找合适的作者；先去认识一些作者，再为其量身定制开发选题。两种思路，最重要的都是匹配。

二、选题策划的"六脉神剑"

图 4-1 选题策划的"六脉神剑"

1. 跑——多逛书店，勤跑书摊

俗话说："眼观六路，耳听八方。"作为业内人士，编辑去书店不仅仅是为了买书，还要肩负起更重要的使命——获取信息。编辑一定要有定期去综合书城、专业书店、超市卖场、各类书吧等实体卖场调研的习惯。

（1）从书店读者获取信息：关注书店内的读者，以了解不同学科、不同层次读者的购买趋向。观察某一类图书的读者细分状况，如年龄结构、消费潜力、职业状况、文化程度、阅读喜好等，这些零散读者信息的日积月累，对提升编辑对选题的判断力大有好处。

（2）从书店销售人员获取信息：与店员沟通并建立联系，可以了解哪类图书畅销、读者情况、上架等各种信息。

（3）关注各类图书的信息：进书店可以获得大量的一手图书信息，如竞争出版机构的产品动向、同类图书的内容特点、版式开本设计等。这种直观信息会自然而然地烙在心里，成为选题策划的有用素材。

2. 聊——加强交流，创意碰撞

策划编辑要加强与作者、读者、发行人员、出版业同行、书店店员的交流，勤聊多跑，才能获得大量的一手资料和信息。

（1）作者资源的管理和开发是每位策划编辑都应认真学习并深入探讨的课题。策划编辑如能与作者建立起紧密稳定的纽带关系，作者的出版意向及其他出版信息会最先传到策划编辑这里。编辑需充分利用各种拜访作者、出差的机会，可以获取有价值的选题信息。

（2）对于出版机构来说，能够为读者提供他们所期望的图书，是每一家出版机构都引以为荣的事。策划编辑要学会倾听读者的声音，调查读者市场，必须超越读者表达信息的一般层面，去了解读者对阅读效用的理解，然后设计新的图书满足他们自己并不太清楚的阅读需求。

（3）与市场推广和发行人员保持密切联系，直接获得每种图书的实际销售情况。此外，从发行人员那里也可以了解读者的需求，有时能让策划编辑很快捕捉到选题信息。多听取发行人员的建议，如"挂图"产品在运输中容易出现压损、销售时卷筒类的挂图扫码困难、图书配盘易丢失和带来店员销售过程复杂的问题。策划编辑在图书策划阶段听取并综合考虑发行人员的建议，就可以更加合理地设计产品细节，避免日后出现问题。

（4）策划编辑还要注意与出版业务相关人士的交流，参加各种学术会议及有关的社会活动、书展、书会等方式，加强与同行的联系和沟通，以了解市场动态，发现行业的制高点，向同行学习，随时掌握并跟随环境和形势变化。

3. 瞧——生活课堂，用眼观察

有人提出"5分钟效应"，即读者进入书店无既定目标时，通常关注顺序依次是：书名——作者——封面设计——内容介绍、目录、版式——封底、定价，这个过程约需要5分钟，以此决定了本书是否被购买。可见，以上诸要素构成了图书市场的"眼球经济"，对图书的销售产生最直接的影响。

除了仔细观察市场上的畅销书，策划编辑还要学会观察书店内的读者，以了解不同年龄结构、消费潜力、职业状况、文化程度、阅读喜好的读者的购买趋向。这些直观的信息虽看似零散、无序，但日积月累必将成为判断选题的重要依据。

生活是一个大课堂，只要做生活的有心人，用眼观察，用心体会，就能发现并策划出形式多样、满足受众需求的图书。

4. 淘——网上冲浪，沙里淘金

选题策划是一项复杂的系统工程，包含着大量脑力劳动和体力劳动，策划编辑对信息的把握应知微察著、沙里淘金，对作者的选择应精益求精，在信息时代，这一切都离不开互联网。互联网是搜索信息的重要手段，对选题策划具有实际的指导意义。

首先，互联网是淘作者和书稿的重要渠道。很多策划编辑都是博客、微博、SNS网站、各种论坛的常客，这已经成为他们淘作者、淘书稿的主要渠道。例如，当年明月的《明朝那些事儿》，一开始就是在天涯论坛连载，后来被策划编辑发现得以出版，并且成为畅销书。

其次，互联网是策划编辑发现社会热点的重要阵地。要时时关注网络，对时政新闻、时尚文化和社会热点保持高度的敏感性，包括国家推行的某项重大政策、读者阅读热点的转移、消费观念的变换、社会时尚引起的读者购买动机等。网络上越来越流行的微信、微博等都不失为策划编辑获取社会热点的好渠道。

再次，策划编辑除了要善于收集信息和挖掘信息，还要长于处理信息。善于选择，要"去伪存真"、"择优汰劣"、"取其精华，剔除糟粕"，从中发现对选题策划具有参考意义的内容。唐代诗人刘禹锡在他的《浪淘沙九首》中说："吹尽狂沙始到金"。策划编辑的选择工作，就是和这种沙里淘金工作相似，要"吹尽狂沙"，选择留下金子，要从泥沙俱下的众多书稿、文稿中，汰去泥沙，选择出金子来。

5. 找——动用人脉，撒网搜集

（1）从名家里找，或者通过认识的名家，请其帮你推荐，能获得一些很好的人脉，紧跟着，一两年内就会追到名家稿。名家资源具有口碑传播的效用，追到一个名家，他会向你推荐其他的名家。

（2）从博客或专栏里找，这些人要多搜索名人堂，各种类型的，然后看一下他们的博客目录和文章，会发现你所想做的书，然后利用各种方式跟他们联系。还有现在非常流行的微博，你找一个出过畅销书的名人，看看他经常会跟那些名人互动，那些未出过书而确实有卖点的名家，那你就要紧追了。

（3）通过专业的期刊或杂志找人，比如像《心理月刊》、各种文学刊物、历史研究、报纸专栏，就能发现很多不错的作家，他们的文章能发表说明写作上过关，而且很多还是业内高手、名角，这类作者质量是很高的。

6. 熬——练好内功，耐心等待

有志做优秀策划编辑的年轻人，想执著于出版行业，要牢记"熬"字诀。做出版人，必须要有理想，明知山路险，偏向苦中行，在年轻时，要能忍受得清贫，有一点钻子精神。要干好这一行，尽量少抱怨，必须打铁成钢，打磨成器，稍一轻浮或思想动荡，就要多耗几年。

不要以"我喜欢"、"我心目中的"等个人喜恶来做书，能以个人喜恶来做书的人，都是在行业浸淫多年形成准确判断力和个人影响力的人。

策划编辑的工作需要长期的经验、资源的积累和磨练，因此，作为年轻编辑必须沉下心来，虚心求学，在学习中不断提升自己。不仅如此，还要在学中悟，要有批判思维，敢于颠覆，做一些大胆创新，在实践中多问一些为什么，寻找方法，多折腾，耐心打造自己的翅膀。

把精力和财力浪费在可做可不做的平庸选题上，不仅造成资金、资源的浪费，更可怕的是造成商业机会的损失。

"三有"选题至少占其一才可做：有社会价值，有文化价值，有商业价值。

"三不"选题不要做：不值得的就不要做，不适合的就不要做，不把握的就不要做。

"三无"选题尽量少做：作者无任何知名度，营销无话题关注度，内容无质量保证度。

三、选题策划的"七把宝刀"

宝刀一：借势而行

借势而行，即指借助一些时事、新闻热点、热门影视等题材发挥的选题。

通过借力、借势而创造的选题，因为与时事、新闻热点或热门影视结合紧密，可以借助其影响力并与其互相促进，创造出良好的社会效益和经济效益，体现出了图书选题策划人强烈的市场意识。这就要求策划编辑要敏锐地捕捉社会热点，挖掘图书内容和社会热点的契合点，采取具有技巧性和吸引力的适当的方式来获得读者关注。美国前海豹突击队员新书《艰难一日：击毙本·拉登行动亲历记》就是以宣传击毙本·拉登内幕为营销点，其中有许多情况都是首次披露，这部纪实性作品已经成为亚马逊网站的畅销图书。

宝刀二：巧妙跟进

巧妙跟进，即抓住一些畅销书，及时跟进，二次创新，巧妙地模仿与超越。

打铁趁热，与市场开拓者争抢地盘，与最先发现蛋糕者分食蛋糕，也不失为在竞争中求生存的一条出路。跟风不是什么坏事，不能因为几颗恶劣跟风的老鼠屎，就倒了整个跟风这锅好汤。跟风体现了商业敏感性，是聪明人的做法。

跟风策划选题的一般做法是"旧瓶新酒"，即继承已出图书的形式，换上新的内容。针对《十万个为什么》（中国少年儿童出版社）这个品牌而出版的跟风之书举不胜举，其中不乏有新意有特色、受到读者欢迎的佳作，如《新科学十万个为什么》（浙江科学技术出版社）沿用知识问答的形式，但反映的是科学技术发展的最新成就（如信息高速公路、多媒体、克隆技术等）及其与社会、人民生活息息相关的新内容。

选题资源是再生资源，一种选题获得成功后，后来者可以向其深度和广度延伸。只要策划到位，运作得当，跟风选题也可以有不错的斩获。跟风出版必须念好"三字经"：一是"跟"字——跟进，模仿；二是"快"字——果断决策，快速行动；三是"好"字——"跟"要跟出特色，要在跟进中翻新，"快"要快出质量，编校、印制的基本质量必须得到保障，尤其不能侵权，不构成侵权是跟风出版的底线。

跟进策略有三点好处，从策略讲，跟进是压缩投入成本的最好方法；从利润讲，跟进者比跑在前面的省力，利润率也相对要高；从风险讲，跟进者比前面的人有经验教训借鉴，风险较低。

实施跟进策略要做到四点：

（1）选题创意上的跟进；

（2）内容质量上的把握；

（3）物质形态上的超越；

（4）营销宣传上的借势。

跟风出版不能仅仅体现在选题内容上的跟风，策划编辑在做跟风选题时，一定要注意内容质量和把握和物质形态上的超越。令人感到十分愤怒的是，一些投机出版商常常在选题内容跟风的同时，还对已经上市的畅销图书的封面创意、版式设计和图书名称甚至作者名字进行全面模仿。

目前，市场场上绝大部分跟风书都只是在外在形式上对市场上大行其道的畅销书进行拙劣地模仿，常常是"金玉其外，败絮其中"。其中只有极少数质量较高的跟风书能够赚取一定利润外，绝大多数跟风书都不会给出版者和作者带来实实在在的效益，这是由市场规律决定的。

在实施跟进策略的时候，还需要注意三点：第一，选择好跟进对象，切忌盲目；第二，把握好进入市场的实际，不能太快又不能太晚；第三，目标读者群必须一致。

选题创新有两种：一种是首次创新，寻找市场空白点；一种是二次创新，追逐热点。

不怕别人想法如己出，就怕你不够速度；不怕因为类似被人骂，就怕做不出差异化。

宝刀三：紧贴潮流

结合时代的主题、时尚潮流以及社会新词等而运作的选题，要特别注重对潮流的捕捉。

1995 年春，江苏科学技术出版社的编辑从报纸上看到一则小消息：徐州矿务局中学生环境小记者团从 1983 年起坚持环境保护宣传，国家科委主任宋健为小记者团题词，表扬他们为宣传环境保护知识所做的努力。这条消息触发了编辑的灵感，萌生了编写一套以环境保护为主题、以青少年为读者对象的科普读物的想法。这套《蓝天绿地丛书》本身的高质量，加之上市之时又逢《全国环境保护宣传教育纲要（1996–2010）》颁布，因而获得了很好的社会效益和经济效益，并荣获"国家图书奖"提名奖。

策划选题往往看似眉头一皱，计上心来，但实际上是对时代演变长年跟踪的结果，是对市场发展长期观察的结果，是对社会实践准确把握的结果。策划编辑平时要瞪大眼睛翻报刊，竖起耳朵听信息，打起精神上网络，随时随地捕捉一切有价值的资讯，并尝试与选题策划对接起来。总之，要着力培养灵敏的嗅觉。

宝刀四：专注领域

专攻某个领域或某个专题的图书，不求做多，但求做专、做出花样。

编辑不是专家，而是杂家，这是人们普遍的认识。策划编辑需要有开放的视野，但是也要在综合考虑自己的专长、所在出版机构的出版特色和定位的基础上要确定自己的出版方向，以特色出品牌，以品牌闯市场。

所以，策划编辑在确定选题时，首先要考虑选题是否符合本单位的出版方向和定位。在策划内容上，从多元化的策划转向主攻板块策划。有所不为才能有所为，针对市场需要，及时调整出版思路，把版块优势、选题策划优势和相关资源结合起来，变多头出击为集中出击，集中有限的出版资源打优势战，在市场竞争实践中形成有自己特色的版块结构。例如，中华书局在《正说清帝十二史》成功的基础上，利用该书所激发的历史书阅读热，不失时机地推出了一系列的后续品种，形成了比较明显的销售优势；上海人民出版社抓住《我为歌狂》的畅销所拓展的青春文学类图书的市场空间，及时调整出书方向，以青春文学类图书为主打品种，出版的系列图书很快形成了自己的优势。

宝刀五：媒体助推

选题的来源于一些强势的媒体，以电视台为多，有其推波助澜。

2012年，电视纪录片《舌尖上的中国》自在中央电视台播出后，引发了超乎预期的社会关注和收视效果。该片用镜头下的"美食"传递着中国社会悄然发生的变化，以独特的人文视角表达中国的文化价值理念。与此同时，数百家出版机构闻风而动，竞相争抢图书出版权。该书最后由光明日报出版社和凤凰联动联合出版。

宝刀六：经典翻新

经典图书拥有长久、巨大的市场空间，比如国学类、经典小说类等，这些书不单纯是畅销书，很多都称得上是常销书，已经沉淀为人类重要的精神产品，可以称得上是"铁打的经典、流水的读者"了。而且此类图书总的需求十分大，不过读者的选择余地一般较大，需要出版机构细化读者的需求，根据不同的读者层，做好图书的定位工作。还有外国经典作品的引进版、外国畅销品类的引进版等。

把以前一些经典的、一直畅销的选题拿来翻新，更新形式出版。

要想保持图书的常销或打造品牌，就必须在重印再版方面下足工夫，使经典内容老树新枝、枯木逢春。操作方式有三：把握时机，适时推出；与时俱进，升级推出；单本变文库，整体推出。修订再版的原则是：既要"立"，又要"破"——既保持首版的核心价值不变，又删旧补新；"立"可以延续品牌，"破"可以发展品牌。

自 1961 年至 2000 年，中国少年儿童出版社先后推出了《十万个为什么》的 7 个版本，将其由 8 本发展到 25 本。每次修订再版时，一方面保持问答式百科知识普及读物的编纂体例不变，另一方面根据科学技术和时代的发展变化更新内容与形式，如新世纪儿童版打破原先的学科分类法，采用"天上飞、在水中、地上爬"的分类方式，增加了航天、海洋、遗传、环境科学与信息科学等方面的内容。

经典翻新应特别注意两点：

（1）及时将品牌注册为商标。

中国少年儿童出版社面对他人侵权，只能叹息："'十万个为什么'虽然是我们首创的，但是至今我们还没有去专门注册过。"

（2）品牌的二次开发不容忽视。

对品牌书的二次开发不仅可以延伸品牌，而且可以维护品牌，当品牌产品规模达到一定程度，其独特性也就凸现出来了。

宝刀七：配套运作

配套运作，即同样内容的一本书根据读者群的细分或者装订情况做不同版本，比如精装版和平装版，青少年版和适合老年人阅读的大字版。

英国某旅游出版社曾在 1997 年出版了一本 32 开本的《全英山野徒步旅行手册》，该手册一出版即被奉为此类图书中的经典，数次登上销售榜冠军席位，在一向热爱户外活动的英国家庭中，几乎每家一册。该书包括了全英 500 条徒步旅行线路地图及其沿路餐饮、住宿、景点、历史等所有相关信息，全书厚达 800 多页在销售一段时间后，出版商很快意识到了这类图书携带不便的问题，于是调整战略开拓思路，在原来全本手册内容的基础上，先后出版了彩色地 16 开图及摄影风光版、小 32

开便携版、老年大字版、家庭旅游推荐线路版、青年经济游线路版、迷你漫画儿童徒步游版等，并配合推出了明信片、笔记本等相关印刷类产品。在市场宣传推广上，根据不同版本针对的客户群开发了网络宣传、竞赛活动宣传、环境保护宣传等方式，不断扩大巩固了该出版社的品牌影响。这些依托原有内容开发出的新版本产品，不断掀起市场购买热潮，也使该公司成为"健康绿色生活"的榜样。

四、选题策划的"八仙过海"

"八仙过海，各显神通"一：挖掘新闻事件背后隐藏的价值

从传播效果角度分析，经过周密策划的对某一事件或某一方面话题的新闻报道，具有天然的"预热性"。众所周知，新闻媒介具有议程设置的功能，通过对新闻事件的选择性报道和有目的的信息传达活动，会影响公众对社会生活的关注点以及对其重要性的判断。因此，当图书选题与新闻事件实现重合，新闻报道就等于为图书选题做了先期的市场铺垫，可以为图书的选题策划和宣传节省成本，可谓事半功倍。一个重大的新闻事件，只要得到受众的广泛关注，就会产生一批与此相关的图书，而这批图书在短时间内就能形成一个令人鼓舞的购买热潮。

如2003年，国际上最大的新闻莫过于美伊战争，每一个有关美伊战争的新闻都备受世人关注。出版业为了适应读者的需求适时推出了相关图书，如《布什的战争》、《萨达姆其人》以及一些伊斯兰教方面的书籍。2003年，国内的新闻事件上半年有让人难以忘却的"非典"事件，下半年有让国人激动的"神舟五号"载人飞船的成功发射，出版社利用这些新闻事件策划出了一大批畅销书。如对于突如其来的"非典"事件，广东教育出版社抓住受众在短暂的时间内因恐慌而产生的强烈的自我防范意识及急需了解有关"非典"基本知识的求知冲动，及时推出介绍如何预防"非典"和"非典"发病原理的《非典型性肺炎防治手册》。对于"神五"的飞天，出版业推出了一大批著作，如河北少儿出版社"飞天梦系列"少儿丛书，中国和平出版社的《载人航天知识200问》、科学普及出版社的《宇航员传奇》，以及《中国神舟》、《风雨长征号》、《飞天圆梦——来自中国载人航天工程的内部报告》等这些自豪感、爱国主义情绪浓烈的书籍，满足了各类读者群对航天知识的需求。

"八仙过海，各显神通"二：天时＋地利＋人和＝畅销

《马云如是说》是国内第一部全面解读和诠释阿里巴巴CEO马云经营理念与管理思想的作品，完整展示马云的战略思维与行动轨迹。它的成功不是偶然的，正是古人说的"天时、地利、人和"三者综合的结果。

（1）天时——阿里巴巴锐不可挡的上升势头：2007年11月6日，阿里巴巴在香港上市，取得了极大的成功，阿里巴巴和马云成为炙手可热的新闻焦点，这为《马云如是说》的上市做好了市场预热。

（2）地利——本土财经创作成为趋势：中国读者经过了前几年外版财经图书的洗礼，在思想上基本实现了与世界管理潮流的接轨，掌握了从现代企业管理的角度来思考问题。但是，一个问题日渐凸现出其紧迫感，外版图书"水土不服"的尴尬问题。《马云如是说》的选题策划正是基于这样一种市场需求，进行多次考证，最终完成选题和选点以及表现形式的确定。

（3）人和——借势央视的"赢在中国"：天时地利都具备了，还需要某一个事件的推动。"人和"就相当于一个广为人知的事件营销，它通过一个具体事件，集合到了我们需要的"人气"。这个事件营销就是中央电视台举办的大型电视活动"赢在中国"。

"八仙过海，各显神通"三：利用网络点击率，未出版先炒火

《明朝那些事儿》的走红是从"明月门事件"拉开序幕的。2006年3月10日，一个注册为"就是这样吗"的ID在"天涯社区"网站著名的BBS论坛"煮酒论史"发出了一个帖子，帖子名为《明朝的那些事儿——历史应该可以写得好看》，起初观者寥寥。但随着作者每天三篇的定时更新，越来越多的人开始关注此帖，而作者的ID名称也由原来"就

是这样吗"改为"当年明月"。至当年 5 月中旬,《明朝那些事儿》的点击量已接近百万,网友跟帖过万。与此同时,喜欢《明朝那些事儿》的网友也自发组成"粉丝"团体(简称"明矾"),为当年明月呐喊助威。由此,引发了与该论坛著名写手"赫连勃勃大王"和小有名气的"歌痕"后来的口水大战……现在看来,点击率是否造假已成一个未解之谜。有人认为百万点击率确有造假之嫌,是否有幕后推手也很难说,但是《明朝那些事儿》的确火了。

"八仙过海,各显神通"四:让选题与名人建立联系

起初《狼图腾》并不被看好,整部作品字数有 50 万字之多,当时是按全年卖 5 万册做的,首印控制在 2 万册。尽管如此,长江文艺出版社依旧对其进行了完整的市场化运作。

在分析了利弊之后,长江文艺出版社进行了一系列工作,包括卖点、新闻点的策划与实施:字数多,可以做成大气、有气势的大开本;作者不出名、不露面,恰恰作为新闻点,可供媒体畅谈;文字的稚嫩,可以理解为作者的朴实与创作时的专注。

他们开发思路,想到了和狼有关的业界名人,如从内蒙古家乡走来的白岩松、蒙古族歌手腾格尔、海尔集团首席执行官张瑞敏、SOHO 中国有限公司董事长潘石屹,等等。中国很多企业都讲究狼性文化,一经推荐和炒作,本书逐渐火了。

"八仙过海,各显神通"五:迎合公众情绪,关注国计民生

多年前的《中国可以说不》,都看成做情绪的典范,策划者通过最直接、最生动的表达来激发读者的联想,借此让读者拿起书来;又如《河南人惹谁了》(马说)、《中国高等教育有病》(薛涌),前者策划者通紧扣当时的社会热点问题,以问句的形式给出诉求,首先限定读者的思路,读者看到了书名,自然会有所回答或者沿着书名的疑问发生相关联想;后者系中国著名的民间意见领袖、旅美华人,一向以发出理性、激越的声音著称于世,通过最直接的、最通俗的"有病"二字来表达对中国高等教育的不满。

《中国不高兴》创意来自张小波——《中国可以说不》的策划人。张小波在 2008 年首先提议做。基于 2008 年一整年发生的事情，从"3·14"事件到火炬到地震，他敏感认为会找到大家共同关注的东西。于是，他找到其他几个人共同参与。2008 年 10 月，一行人来到一家度假村，一口气聊了三天的时间，成就了这本书的主体内容。张小波作为这次"神侃"召集人，整个书是他的一个倾向，但他没有具体在里面发表什么观点。聊天时间里，张小波全程安排了录音和速记。结束后，张小波把录音整理好，发给每个人，进行补充、整理。

书本来打算在 2008 年底出，由于图书运作的关系，拖了几个月。大家对讲话稿作了补充，删除了一些内容，一直拖到 2009 年 3 月中旬"两会"结束之际推出。

"八仙过海，各显神通"六：提供共同的心理诉求和规则技巧

要在职场中脱颖而出且活得精彩，光有一技之长不够，还得懂得做人，懂得交往、沟通、协调、合作，懂得拿捏职业化与个性化之间的巧妙平衡。既要有好的智商，又得有好的情商和职商。而包括沟通、社交在内的很多职场技能，恰恰是中国年轻人最不擅长的短板。以上多重因素层层叠加，形成了《杜拉拉升职记》大受欢迎的社会土壤。

从某种程度上说，如今的白领大都"痛并孤独着"。能同一些有共同语言、相似经历的同道共振，寻得一种身份乃至心理上的认同，成为一种普遍诉求。他们未必完全认同"杜拉拉"的观点，但他们面临着同病相怜般的愁苦，有着相似的关切。"杜拉拉"超越小说文本本身，对白领们的生活产生了一些超越职场规则的现实意义，成为了一个生动的"话题制造者"。这也是《杜拉拉升职记》有别于以往那些以描绘波诡云谲的商场故事为主要卖点的职场小说的独特之处。

"八仙过海，各显神通"七：外版书进行本土化

《YOU：身体使用手册》是译林出版社出版的，由美国两位著名医学专家撰写。尽管作者科班出身，口碑一流，在竞争格外激烈的国内生活书市场推广这本引进版图书却相当有难度。于是，出版社请中华医学会会长钟南山院士推荐这本书。经过努力，钟南山赞同《YOU：身体使用手册》的科学性和权威性，同意为中文版写序言推荐。这是本书成功实现本土化的基础。《YOU：身体使用手册2》出版后，出版社进一步请钟南山做公众健康讲座。钟南山破例第一次面对普通读者做公众健康讲座，价值绝不限于任何一本书。

在本土化过程中，译林出版社反复思量读者接受程度，它举办了很多活动。此外，和著名健康杂志合作，强强联合推广双方的品牌以求双赢。为吸引读者注意，从第一本开始，译林出版社就制作了宣传册给业务员，为《YOU》建立了专门博客。这些本土化策略，被事实证明获得了预想中的效果。

"八仙过海，各显神通"八：传播理念让图书拥有了品牌

《富爸爸 穷爸爸》系列图书的传播，形成了席卷全国的"紫色风暴"。传播图书还是传播理念？这是《富爸爸 穷爸爸》传播案例给我们的主要启示之一。早在1997年就有"情商"粉墨登场，从《富爸爸 穷爸爸》中提炼出"财商"这个理念，实际上借用了"情商"的遗产。不过，"情商"理念推出，为不少挂着"情商"图书招牌的图书寻得了生机，而《富爸爸 穷爸爸》的高招在于没有为他人作嫁衣，尽管不少跟风图书搭上了"财商"这班车，但是《富爸爸 穷爸爸》系列产品俨然一副"教主"地位无人能敌。传播理念就像图书有了品牌一样，生命力获得了极大的延伸，就像当年《数字化生存》的神话一样。

"情商"理念对《富爸爸 穷爸爸》系列产品的推动明显，还促成了财商教育这一成果。该书被赋予了改变以适应现实变化的理念，在当年遭逢IT行业裁员风的时期里，这本书成为公司老板送给被裁人员的读物。

本小节实训项目 »»

在当当网上输入"中国梦",可出来至少十几本书名就叫《中国梦》的图书。可见,此热点在2013年受到出版界的青睐。请整理出至少10本,并对其进行专题分析。分析的要素包含:开本、定价、书名、目录、封面风格、文案特点、出版社影响力。

第二节　书名拟定

一、书名是成败关键

书名是影响读者购书的第四大要素。好名字是一把钩子，它能当场钩住读者的心。名字，是一本书的第一广告词，它犹如神医的扎穴银针，能够在耳朵听到或眼睛看到的瞬间，立刻唤起读者的正面情绪和情感，令人爱不释手，放下又拾起。好的书名，能吸引人注意，让人一下记住，方便传播，同时可以鼓动和诱惑消费者，为读者提供购买理由。

新华出版社出版的畅销书《细节决定成败》，风行畅销书排行榜居高不下，作者汪中求先生说过这样的话："《细节决定成败》的定价是24.8元，而书名就值了20元。"好书名可以化腐朽为神奇。在美国，一部原本销售平平的图书《争吵艺术》（亚瑟·舒本浩尔著），改为《如何符合逻辑地争论》后，居然立刻就成了畅销书。书名的重要性在此更可见一斑。

细细考究市场上的每一种畅销书，大多数的书名都能给人以眼前一亮的感觉，甚至有着强烈的冲击力。所以在书名的策划、构思、甄选过程中，必须要仔细地琢磨、研究读者的购买心理和阅读习惯，把握和运用好图书起名的基本规律。

书名是如此重要，那起书名的依据是什么？书名包含着两个要素：一是出版者对内容的理解、读者对内容的认识；二是出版者出版这本书、读者阅读这本书的理由，即创作导向和营销导向。实际中，大多数出版者往往注重创作导向而忽略营销导向。

1. 好书名必须具备的"五强"

（1）新鲜感强。

书名宜新，新颖健康，新潮不俗。新鲜感是编辑工作"创新性"的一个重要表现。作为图书卖点的集中体现，书名的设计一定要突破习惯性思维定势和从众型思维定势，采用发散思维，使书名具有时代的创新。

爱情是文艺作品表达经久不衰的主题，书名起不好，往往容易落入俗套。姜丰的小说《1998年的爱情》，描写一个女孩毕业后在北京闯荡的过程，本来书名叫做《情重美人轻》，但出版社认为太像地摊文学，没有采用。比较后就可以看出，改后的书名清新淡雅，时尚大方。而那些跟着《天亮以后说分手》的风，引爆出的《天不亮就分手》、《天亮以后不分手》、《天亮以后说再见》，以及《美人赠我蒙汗药》、《我这里一丝不挂》之流，书名却是粗鄙不堪。

编辑在拟定书名时，尽量做到不与别人重复（别有用心除外），创意新颖，充分展示其特有内涵及魅力。

（2）概括性强。

好的书名是凝练简约的，不是冗长的。书名要最大限度地概括点出全书的内容和主题，但是切忌太长。美国哈佛大学教授乔治米勒发表的题为《神奇的数字，七加或减二：我们信息加工能力的极限》的著名论文，证明了人类短时记忆项目数的极限：人类短时记忆所能记住的一次呈现的项目数为7+2个彼此无关的项目（物体、数字、字母、词组等）。所以对于书名来说，根据人的阅读习惯，最好不要超过9个字。书名一目了然是在短时间内抓住读者的不二法则。

国外有一部1742年的有名畅销书，由一个制订惠斯特牌戏规则的人所著，其书名奇长无比——《关于惠斯特牌戏的小册子，包括牌戏的规则以及一些打牌原则，初学者只要仔细遵守这些原则，就能打好惠斯特》，整整46个字。其实，如若将书名简练为《怎样玩好惠斯特牌戏》9个字，已经可以完整表达出了原书名的含义。机械工业出版社出版的经济管理类畅销书《执行》，只是简单的两个字，可是其中暗藏的深意却耐人寻味:"执行"指的是企业内部如何完成任务的学问,书名高度概括,凝练简约,大方大气,令人过目不忘。同样的书名还有《飘》、《双城记》、《格调》、《优雅》等,好的例子不胜枚举。

(3)艺术性强。

好的书名是经过艺术加工的,不是肤浅的。内涵丰富,不粗不俗,读起来流畅,音韵美好。外在内在都美。余秋雨的散文创作,与传统的"文以载道"的古典路线极为贴合。无论是《文化苦旅》、《行者无疆》、《出走十五年》,还是《千年一叹》、《山居笔记》、《霜冷长河》、《借我一生》,书名四五字,其中的韵味却悠长深远。同样,周国平的作品:《守望的距离》、《各自的朝圣路》、《安静》、《妞妞:一个父亲的札记》等,书名也是意味深长,经得起细细品味。

(4)时代感强。

如今,我们生活在一个时尚的时代,不同的时代有不同的流行元素。流行与时尚是一种大众传播文化,反映人类共同的价值取向和心理趋向。例如,时事政治方面关于"中国梦"的反响,个人生活方面浮华躁动的心态,家庭生活方面望子成龙的教育现状,等等。这些都是当今社会的流行元素,因此书名的拟定应融入时代元素,紧跟时尚潮流,打上时代烙印。

每个时间段内,某些字词就是已消费掉了的。如"成功"一词,早已被用得太多太滥,再用就不易出效果。又如《女人的资本》中的"资本"二字,在大量跟风出版后,这二字的资源几乎被消耗掉了,一般也不宜重复使用。

(5)个性化强。

好的书名是个性鲜明的,不是重复的。《千万不要学英语》,第一眼看到这个书名时,估计谁都会不禁吓一跳。急忙翻开来看看,原来不是让大家别学英语,而是说语言是通过模仿在潜移默化下形成的习惯,不能 study(分析、研读),而要 learn(模仿、练习)。在这里,《千万不要学英语》就没有跟《疯狂英语》的风,起个《非常疯狂英语》、《绝对疯狂英语》等无聊重复、似曾相识的名字,其书名令人耳目一新,印象深刻,销售业绩同样骄人。

2. 好书名的四大评判标准

(1)内容容量不大,甚至只写一个点。

优秀的图书一定是解决特定问题、体现特定功能、针对某些特定人群的,因此它不可能是包治百病的良药,只能是有着特定的内容容量,甚至是只有一个点,但是这个点却能深入人心,直接切中目标读者的需求,能实实在在满足读者某个点上的消费。

(2)读者面广,带入性极强。

任何一本书都是针对一定的消费群体而设计的,因此成功的畅销书一定会让读者产生带入性,看到书名的瞬间产生情感共鸣、激发其回忆,使其触动和兴奋,这也是策划编辑和读者双向互动的过程。因此在策划选题、确定书名之前,策划编辑要十分了解读者的购买心理和情感体验,从而使读者获得情感的满足,产生购买欲望。

(3)标题文字简洁,力感强,韵律美。

声音能直接影响人,对人能产生条件反射。这就要求书名的表达必须有力、准确,并且符合韵律美。首先要做到简洁,其次要抑扬顿挫,朗朗上口,字音响亮,读起来流畅,音韵美好。

(4)观点新颖,迎合时尚心理。

在当今这个信息时代,当我们被四面八方涌来的信息弄得头昏脑胀时,大部分信息在你面前只能是浮光掠影,这是时代特征。所以,书名中一定要出现新的视角、新的观点。书名体现的卖点越是新颖独特,越是具有鲜明的个性,越能够制造独特的声音,在一瞬间抓住读者的眼球。策划编辑也可以此来预测图书是否会畅销。"新"的具体表现:名人新诠释;权威新观点;经验新归纳;隐情新曝光;搞笑新表达。

3. 三类常见书名的特点

大体来说有三类常见书名。一种是概念性的,也就是说书名是一个概念性的词语；一种是陈述性的，两个词语组成的一个词组；一种是人性化的，一个完整的句式，含有情感倾向，一般为正面表达。

（1）概念性书名。

一些畅销的概念性书名比如：《心态》、《执行》、《解决》、《影响力》、《手机》、《口红》、《差距》、《变化》、《交锋》、《围城》、《成长》、《比较》、《商道》、《格调》等。

一些不太畅销的概念性书名比如：《细分》、《渠道》、《欺诈》、《赢利》、《分销》、《并购》、《宽容》、《愿景》等。

特点：心平气和，严肃，冷色调，只是一个词或字，不能更充分唤醒读者记忆。因为大脑理解世界是以一句一句的形态来运作的。如"姐姐"二个字就没有"姐姐恋爱了"丰富，这种词或者词组用作书名，一般用得不太多。不过，二个字也有优点，一是简洁、有力，若用作表达科技书名和正统的财经管理营销书名，也是有它的优势的；二是字体做大，可大大增加封面广告注意力；三是庄重严肃，有力度。

（2）陈述性书名。

如《八项修炼》、《自动自发》、《小资女人》、《中层领导手册》、《女人的资本》、《简单生活》、《动态思考》。

特点：语言丰富，表达完整；但是也有缺陷，理性，人情味不够，并不是最理想的书名。

（3）人性化书名。

如《放下就是快乐》、《成大事必备的九种能力》、《把创新当成习惯》、《决定一生的八种能力》（该书是由《八项修炼》改编来的，改名后又成了畅销书）、《做人不要太老实》、《一生能有多少爱》、《你为什么是穷人？》、《心理学是什么？》

特点：有人情味，有哲理、有品位，有一定情感倾向，迎合人内心深处避冷近暖的心理需求。

二、书名的 10 忌

1. 忌用一个字的书名

一个字的字义毕竟不够丰富，不能在三秒钟内最有效地刺激读者的视觉和记忆。就算一个字占了整个封面，读者也有点莫名其妙的感觉。要知道，大脑是有缺陷的大脑，大脑是能懒则懒的大脑。所以，你如果书名不直白，还要读者停下来揣摩，那么，他的注意力马上就会移开。这是人最基本的本能。

在这个信息刺激时代，人们都或多或少有"信息麻木症"。在绝大多少地方，人们只是带着身体，而没有带着头脑。

当然，名人用一个字的书名就大不同了。名人早已输入了读者的记忆，而且记忆深刻，它能使读者立即唤醒记忆，从而产生情感和情绪去买书。比如杰克·韦尔奇的自传《赢》。

2. 忌用太长的书名

在拟定书名时，建议策划编辑不要轻易选择太长的书名，一般最好为 4 至 7 个字较为适宜，长则不宜超过 9 字，因为人们的常规呼吸最适合读完 4 至 7 个字的书名，太长则喘不过气来。当然，什么事都有例外，例如，《把握好做人的原则和办事的分寸》、《课本上学不到的 100 条人生经验》、《不要只做我告诉你的事，请做需要做的事》，这样的长书名都成了畅销书，这是什么原因呢？主要是靠句中意识到位而吸引读者的。再者，人在读书时早就养成了对长句子自然分段处理的本能，虽是太长，但这三个书名都能划分成两句完全独立的句子。所以，我们由此得出一个关于字数的结论：书名最好为 4 至 7 个字，若要加长，则应注意音节停顿的可能性。

3. 忌苍白无力，令人曲解或费解，导致望而却步

书名不能起得过于深奥，让人晦涩难懂，特别是千万别玩"文字游戏"。

例如，《"悟"人子弟》、《做自己的国王》、《美丽无所谓？》

《公司凶猛》等，这些书名"像云像雾又像风"，让人摸不着头脑。

4. 忌用负面的书名

商店、商场、娱乐场所等，通常会用一些比较讨好的名字，很少会用负面带入词命名。两个人，一个叫"林紫衣"，另一个叫"林三姐"，你会认为哪个更漂亮一些呢？同样，拟定书名也是如此。负面的书名，如《企业猝死》、《恶心》之类，是很难吸引读者购买的。当然，也有个例不在此观点内，比如畅销书《大败局》。

5. 忌一个书名里用重复的三个字或三个同音字

在本应精辟、凝练的书名中，重复的字会带给读者语言贫乏、啰唆繁冗的感觉，三个同音字读起来节奏感不强，缺乏美感。

6. 忌太超前

不是所有超前的东西都有人接受，书名也是如此。

书名太超前，如《八个世界》、《量子思维》等，超出一般读者的理解力，大多读者是不会费神读这种书的。

7. 忌没有做人性化延伸

书名的含义不宜过于接近书中的功能（内涵）本身，要选定一个略为向积极面带一带的人性化名字，以适应更多的人。

功能性名称为：《七种能力》

叙述性名称为：《办事的七种能力》

人性化名称为：《成大事必备的七种能力》

这就是区别。

几乎是一字千金，一个名字定生死，对一本书是常事。

8. 忌起一个留给对手空子或余地的名字

以前有过一本书《别为失败找借口》，后来又推出了畅销书《没有任何借口》，这个书名就是在前一个书名的基础上开发出来的。因为前一个书名没有定准位，还有一些余地，故许多被跟风者发现了机会。由于《没有任何借口》名字用得很绝，没有给跟风者留下任何余地，因此另一本跟风书《千万不要找借口》便没有销好。

9. 忌读起来不顺口

书名最好是平声开头，且多用去声，读起来既有力感，又有美感。好书名要读起来朗朗上口。例如，《学会选择，学会放弃》、《成功一定有方法》、《谁动了我的奶酪》等。

10. 忌用命令语气

不要用命令口气起名，要站在人性立场上思考。例如，《我来教你学英语》、《听大师讲经》等，就有一点居高临下的味道。

三、培养起好书名的习惯

策划编辑要时刻关注市场信息，有了信息，什么事都可以做成；没有信息，什么事也不可能做成。所以，要勤跑腿，多动脑，养成起好书名的习惯。

1. 关注书店畅销书排行榜

对于图书策划编辑而言，每个星期一定要抽时间去一次当地最大的书店，去看看新书架上的图书和排行榜上的图书，进行有针对性的市场调研，一次最少半天时间。因为，这本身就是策划编辑的任务之一，就是工作，要学会走动思考。

所有策划人都十分理解这句话：好的创意是走出来的。好书名也一样。好书名的产生靠灵感，没有外界的新信息刺激是没有好书名的。

去书店进行市场调研要做五件事：

一是看上榜新书，了解别人在做什么；二是看榜上书，什么是大众阅读流行热点；三是走动思考，考虑图书的制作优点及好书的成因；四是思考那些滞销书滞销的原因；五是激发新的视角，找到新选题、好书名的可能点。

2. 经常阅读书目书讯

策划编辑要培养对书名的敏感性，就要在平时多多关注各大图书电商、相关专业网站、开卷、图书订货会等的书目书讯，不断从书名中总结，获取有益的养分，吸取精华为己所用。

3. 不断推敲修改完善

修改是认识不断深化、表达不断完善的重要保证。书名不是拍脑门即可确定的事情，绝大部分书名都要经过编辑的反复推敲、精心安排，不断修改，才能臻至完善。

书名的拟定应该作为图书策划的第二步，第一步应该是对选题方向和内容的考证确定，只有在广泛收集、积累、研究及运用来自市场各方面的信息资源和知识资源，进行深入的调查研究，了解读者的需求，掌握图书市场的供求情况并进行充分分析的前提下，选题的内容才能建立在准确、可靠和科学的基础之上。

书名要为图书的内容服务，只有对选题内容精准地理解和把握，才能够提炼出精辟精彩的书名来。所以，应该着重强调的是，再好的书名，也需要有优秀的图书内容相支撑，因为读者最终掏钱买书的目的不会只是为了一个书名。所以书名的拟定只是编辑策划全过程的一步，要走向成功，后面的路还很远。

不管是灵机一动、灵感突来，还是苦心孤诣、反复推敲，好的书名总是离不开编辑个人的文化底蕴和策划思想。要想起好书名，脑子里就要始终有一根弦，做个随时随地的有心人，在阅读各类出版专业报纸、杂志以及观看电视节目、浏览网络时，在参加各种活动时，多加留意已出版图书的好书名以及关于语言文字的好创意，细细揣摩并随手记录下来，注重加强自己平日的阅读积累、文化积累和经验积累。

四、好书名经典案例

1.《魔鬼经济学》与《苹果橘子经济学》

本书以一种非常通俗闲散的方式娓娓道给并不熟悉经济学的读者。许多的传统智慧、那些大多数人坚信的道理和逻辑，竟然都是一场骗

图 4-2 英文版《Freakonomics》、
内地版《魔鬼经济学》、台湾版《苹果橘子经济学》

局；许多看来自以为很简单甚至不需要思考的现象，其复杂原来超过了我们的想象。很自然地，这本书没有摆脱一出版就成为畅销书的命运。Freakonomics，是作者自己创作的一个词，由 freak 和 economics 拼接而成的。

内地的中文版将其翻译为《魔鬼经济学》——这显然是为了有一个好卖点的译法。要从信、达、雅的角度看，我们可以用"非常道经济学"来对应它。这不仅因为 freak 本身是"荒诞不经、反常"之意，更重要的是作者的诸多研究成果以及这本畅销书的内容，一直被认为是有些离经叛道，不断在颠覆人们的传统智慧。刚开始接触作者观点的人，都大吃一惊，甚至不能接受，然而与他细细理论之后却又不得不深为折服。但是人们一听《魔鬼经济学》的书名，就会感到很新鲜、很刺激，不由得想获得这本书，以便了解一个究竟。由此看来，该书的译者和出版社，是很有生意眼光的，了解如何吸引读者的眼球，刺激读者的胃口。

本书的台湾繁体版叫做《苹果橘子经济学》。他们觉得"魔鬼经济学"还不够怪，想到橘子和苹果经常被经济学者拿来当教材，干脆摆进书名，一度还想叫"苹橘学"。出版后，"苹果橘子经济学"这个让人满脸问号的书名，果然成功引起读者好奇心。

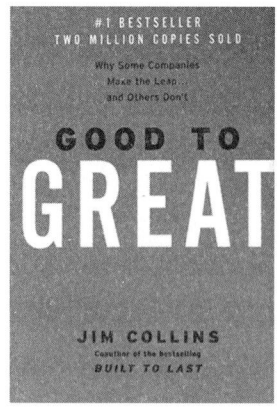

图 4-3 英文版《Good to Great》、
内地版《从优秀到卓越》、台湾版《从 A 到 A+》

2.《从优秀到卓越》与《从 A 到 A+》

内地版《从优秀到卓越》，原书名是《Good to Great》，内地版比台湾版早推出，选定了个忠于原著的书名《从优秀到卓越》。台湾版出版之前，出版商远流文化决定将书名改头换面，开始很担心用英文有风险，最后是编辑们一致决定，结果成为畅销书。内地版《从优秀到卓越》与台湾版《从 A 到 A+》都取得了成功。

3.《创：美国商界巨子特朗普的商业法则》与《大胆想出狠招：川普点石成金的秘密》

图 4-4 英文版《Think BIG and Kick Ass in Business and Life》、
内地版《创：美国商界巨子特朗普的商业法则》、
台湾版《大胆想出狠招：川普点石成金的秘密》

英文版《Think BIG and Kick Ass in Business and Life》书名意思是：商务与生活中的大思考与小作为。内地版《创：美国商界巨子特朗普的商业法则》直接翻译没冲击力，干脆把作者名音译过来，"创"一字双关，既是作者音译，"创造"、"创新"之意，再辅之以"美国商界巨子"，巧妙地利用了作者的名气，基本颠覆了原书名。台湾版《大胆想出狠招：川普点石成金的秘密》则显得更为活泼，"大胆"、"狠招"的翻译富有冲击力，同时副书名又包含了原作者的名字，可谓一箭双雕。

4. 《Secrets of the Millionaire Mind（百万富翁脑袋的秘密）》与《有钱人想的和你不一样》

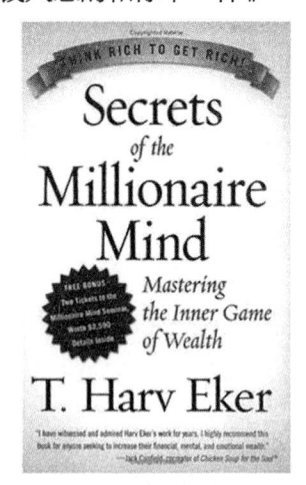

图 4-5 英文版《Secrets of the Millionaire Mind》、台湾版《有钱人想的和你不一样》

英文版《Secrets of the Millionaire Mind》书名意思是百万富翁脑袋的秘密，引进台湾出版时，出版商大块文化觉得有点平铺直叙，脑筋转个弯改成《有钱人想的和你不一样》，果然成为超级畅销书。

5. 从《第五项纪律》到《第五项修炼》

持续畅销的引进版图书《第五项修炼》，译名是由台湾的杨硕英苦心思索出来的。原版书的书名《The Fifth Discipline》，直译过来应该叫做"第五项纪律"。但杨硕英认为：原作者圣吉强调的不是纪律，纪律是外控的严格要求，他强调的实际上是一种来自内心的学习，这显然不是纪律，但也不完全是自律。所以最后采用了"修炼"一词，取其经过不断练习以修正自己行为之意。于是，书名与图书内容相得益彰。这本一般人看来既难读又很厚的书，一经出版就进入台湾和内地的畅销书排行榜，书名的功劳功不可没。

6.《告诉孩子你真棒！》与《富爸爸 穷爸爸》

卢勤的《告诉孩子你真棒！》，如若换成《教育孩子的方法》这样一个平常的名字，估计难逃被书海淹没的命运。而以一句直白、肯定、读来朗朗上口，铿锵有力的话语为书名，牢牢抓住了天下无数父母的心。

畅销多年的《富爸爸 穷爸爸》，就是结合时代背景，在书名中将对比运用得恰到好处的典型。如若将书名改为《经济学教育》，结果不言而喻。

7. 从《中国企业史》到《激荡三十年》

《激荡三十年》这本书原名是《中国企业史》，经过策划改为现名。当代华人世界里最两位著名经济学家——年近耄耋的吴敬琏老先生为本书进行推荐，张五常教授则为《激荡三十年》题写了龙飞凤舞的书名。这都无疑为本书增色不少，使其在书名上具备了成为畅销书的亮点。

图 4-6 《激荡三十年》上、下册

本小节实训项目

参考网络书店（当当、亚马逊、京东任选一家）某个月份的畅销书排行榜。记下前10名和后10名的具体书名，并结合本节的知识，分析其好与不好的原因所在。

第三节 作者资源

一、建立一支什么样的作者队伍

出版产业是内容产业、创意产业，作者处于产业最前端，源头很重要。一个图书策划编辑能否成功，与他拥有作者的数量和质量密切相关。

要建立一支作者队伍，即培养自己的"铁杆作者"，无论是原创作品，还是编撰作品，召之即来，来之能战。有能打速度战的，有能打规模战的，有能打持久战的。

那么，在图书行业里，哪些作者最受读者欢迎呢？

答案并没有任何标准。不过，就一般性规律而言，凡是受到读者热捧的作者，无不具有这样的基本特征：个人影响力巨大，人格魅力强，在特定的领域作出了杰出的贡献，对常人的成长具有示范学习价值，具备榜样效果，因此成为大众热烈追求甚至崇拜的对象。下面给出的只是一般性的回答，尚有极大的探讨空间，且各类之间存在一定的交叉——有的作者由于影响力巨大，早已超越单一的描述而步入跨类兼顾的范围。

1. 大师级、准大师级人物

这世界从来不缺少大师级的人物，只不过当下人们对"大师"二字的内涵和标准达不成共识。不过没关系，这不大妨碍人们的热烈追逐和基本判断。这类人物自然是少之又少，且大部分已经过世。在世而被冠以大师的，争议一向不断。当然，从实际上讲，各行业都有大师级的人物，只不过有些因为行业领域的专业性，比较远离大众，因此较少为大众所熟悉。大众比较熟悉的名字往往集中在人文学科（文化领域)、科学领域、教育领域等方面,比如钱穆、季羡林、钱学森、陈省身、南怀瑾等。

大师级学者由于学术成就浩大、人格魅力巨大等因素,成为一般的读者所信赖的对象,学习他们的精神、方法和品质,构成了其图书畅销的主要因素。不过,这也并不意味着称得上大师的人,其著作就一定会畅销,这还要重点参考个体的生命特征、个人的研究领域与大众认知的结合是否紧密等因素,另外,与当代社会的流行热点发生关联则更容易引发阅读热潮。

核心优势:令人仰视的学术大师。

2. 顶级作家

应当说,称得上顶级作家的也不多。无论走到哪都会受到大众热烈追捧的作家,并且其作品广泛受到大众的好评,被主流认知所充分接受和欢迎,就称得上是顶级作家,比如王蒙、余秋雨、韩寒、二月河、石康等当红作家,又如当代中国最知名的一线作家:贾平凹、史铁生、王朔、刘震云、余华等。这些作家均有其独特的写作风格,拥有极广泛的知名度和读者群,是出版机构不惜一切办法要争取的。当然,所谓顶级的概念是市场意义下的、商业环境下的,未必就与文学意义、文化意义上的顶级完全兼容。这些作家的哪些作品可以传世,则另当别论了。

核心优势:名气、才气、影响力。

3. 有故事的跨界高手

最近几年,跨界写作高手不断涌现,大有令传统文学作家蒙羞的意味(从图书销量上看)。比如《狼图腾》的作者姜戎就曾花费10年时间专门研究狼,并是北京某大学的研究员,研究方向为政治经济学,偏重政治学;《明朝那些事儿》的作者当年明月是政府公务员,工作期间一直默默无闻;《盗墓笔记》的作者南派三叔徐磊,做过美工和编程,开过公司,以外贸为主;反腐小说著名作家王晓方混迹官场多年,曾受到一桩大案影响而长期待业……这些有故事的人,有的并没有转型为职业作家，出版对他们而言仍旧是业余行为。这些作者在网路上被誉为牛人或者跨界高手。

核心优势：素材新颖、不受约束、不拘传统。

4. 资深新闻记者

资深的新闻记者拥有天然的写作优势，只不过平时的工作以文章报道为主，有的作者经过长期的磨砺，并坚持研究某领域、某方面的专业问题，最终将研究成果汇集成书，就够成了畅销行为。他们的图书资料翔实、素材新颖、分析精到、文笔优美，又辅以一定的热点策划诉求，往往会快速占领图书市场一段时期，甚至有的书成为领域的经典佳作。

核心优势：把握时代潮流、关注时代热点，借力传媒资源优势。

5. 民营品牌书作者

严格意义上说，这类作者往往不是一个人，而是一群人的汇聚。比如在教育图书领域，实力较强的作者往往是民营公司、知名品牌的缔造者，通过长期的摸爬滚打，已经建立了强势的渠道，拥有知名图书品牌，主要从事图书全程策划活动。

核心优势：品牌、渠道。

6. 顶级主持人

主持人出书绝不是什么新鲜事，很多年前的倪萍出版《日子》、赵忠祥的《岁月随想》、白岩松的《痛并快乐着》以及崔永元的《不过如此》等，应该说那个年头才是主持人出书的黄金时代。这些顶级主持人在事业的巅峰期相继出版了著作，取得了极为可观的市场销量。他们的背后有如"金黎组合"这样的图书策划高人，专门从事名人类图书的出版策划工作。现在，市面上依然流行不少主持人的图书，虽总体上不如从前。比如柴静的《看见》、杨澜的《幸福要问答》。不过，就目前的消费者渐趋理性、网络信息日益发达而言，如果不是顶级主持人，恐怕超越从前就是比较困难的了。

核心优势：个人名气。

7. 魅力型政界、商界名人

政界、商界的名流永远是大众追求的热点人物，尤其是极富个人魅力的政经名人。比如美国总统奥巴马，随着他的就任美国总统，关于他的书几乎泛滥成灾，既有《奥巴马回忆录——我父亲的梦想》，又有围绕他展开的各方面图书——学英语的、学演讲的、学做事做人的、青春励志的等。又如《朱镕基答记者问》一上市就轻松步入各大书店的排行榜；另外如李瑞环的《看法与说话》、吴官正的《闲来笔潭》等，均为畅销书。

商界名人的作品更是泛滥成灾。史玉柱的、马云的、俞敏洪的、李开复的，等等。

核心优势：超强魅力、揭秘政经背后的故事。

8. 专业领域大众化标识人物

这类作者近些年最为活跃，为数甚多的专业研究者，如大学教授、社科院研究员甚至高中老师，因在特定领域成果显著，其成果一旦得以出版，如果是紧扣当前热点问题的、敏感事件的、传统文化解读的等等，就很容易被读者接受。这种现象是最初是由媒体造势导致的，此前由中央电视台《百家讲坛》造就的一批热门作者如易中天、于丹、王立群、阎崇年等之后，这类作者就层出不穷了。当年新媒体网络视频也成为主要的平台之一。比如讲历史的袁腾飞，教育图书领域的卢勤。

核心优势：专业、专家型、亲近读者。

9. "意见领袖"型

意见领袖是在人际传播中经常为他人提供信息、意见、评论，并为他人施加影响的活跃分子，一般较常见于互联网。他们一般具备较高的社会定位、较强的被认同感、较强的综合实力，通过这种影响力切入图书领域。这类作者其实非常多，包括策划业（智业）从业者如王志纲、叶茂中，他们的影响力都可以归为"意见领袖"的行列。

核心优势：个性、影响力。

综合上述 9 种作者类型看，其实还不足以代表所有的热门作者，这是一个信息传播昌盛的时代，任何人都有可能成为制造流行的推动者，这似乎也在说明：图书业繁荣发展时代的来临，个人价值的体现有了最大程度的存在空间。不过，综合来看，名气、才气、影响力、专业化程度等条件似乎是优秀作者不可或缺的，唯有如此，才能在最大程度上对读者构成冲击，从而造就图书市场的神话。

二、作者开发与维护的 9 个问答

好作者怎么去开发？

好作者怎么去维护？

1. **编辑与作者之间是一个什么关系？**

是鱼和水的关系？还是上帝与天使的关系？

其实，不管什么关系，最好的是一起成长，相互获益。

2. "好"作者的标准是什么？

"不管白猫黑猫，能抓住耗子就是好猫。"明星作者、游击作者，能为我们创造价值（包括经济价值和社会价值）就是好作者。

"作者"与"作家"不同，"作家"是以写作为生，"作者"则不一定。可以把"作者"做一个分级。

（1）A 类作者；

真水平，既能说又会写。

有思想，助手整理材料。

聚宝盆，话题任你挖掘。

（2）B 类作者；

摇钱树，某行业或方面的专家。

有规模、有想法的内容提供商。

（3）C 类作者；

有效率、懂规则的个人。

负责任、肯配合的写手。

3. 开发作者资源要做到哪两个关联？

（1）与出版机构有关联：战略定位、市场定位、品牌定位……适合才是最好，别人的成功模式你不一定能复制，也不一定复制得了。

（2）与编辑自身职业生涯定位关联。所学专业、教育背景、兴趣爱好……道同可为谋，有共同的价值观才有互相交流的话题与前提。

4. 培养新人作者的风险与利益如何权衡？

慎重使用、边使用边培养、看中了就好好使用。

一本图书效益的检验要时间，一个品牌的被认可更需要时间。新人作者不一定作品本身不好，虽然从稿酬条件上成本可以省一些，但是想要做到成功的出位，需要更多财力、物力和时间的投入，风险也更高。

除了一些经典作家，一般作者都是各领风骚三五年，到了一定时候都成了强弩之末。要搞好同老作者的关系，也要注重对新作者的开发，"厚古不薄今，顾此不失彼"。

● **案例：《哈佛女孩刘亦婷》**

畅销200多万册，作者刘卫华之前只是成都某杂志社的一名编辑。该书的出版是作家出版社的编辑袁敏从报纸上发现这么个消息——成都有个女孩叫刘亦婷被哈佛大学录取了，其母刘卫华想把她的教育经验写出来，袁敏便找到刘卫华，让她把自己独特的教子方法写出来，作家出版社出版了这本书。因此，对于那些新作者，需要编辑善于培养、挖掘，为出版单位源源不断地输入新鲜"血液"。只有这样，才能"永

图 4-7 《哈佛女孩刘亦婷》

葆青春"，永远充满活力。

最优秀的作者永远是少数的，他们有的已经具备了自主选择出版机构的权利，尤其是知名作者；有的属于潜力作者，他们具备较强的实力，但没有引起出版机构的高度重视。甚至有的出版机构过于自我本位，怠慢作者的地方不少，弄得作者牢骚满腹。其实，出版机构应该发动自身的能量，积极与作者打交道，在交往、合作的过程中发现好作者、塑造好作者。当今时代最可爱的地方是，为真正有实力的人（作者）提供了发挥价值的空间。指不定哪天，他们就会一夜成名、身价暴涨。有准备的出版机构应该积极关注、积极挖掘，和作者之间建立起有好的合作关系，既管理作者，又巧妙地培养作者。

5. 遇上不讲理的、大牌、不懂流程的作者怎么办？

小编辑再小，也是编辑；大作者再大，也是作者。不抱怨，不犯怵，不心烦。

真诚的心能融化世界上任何一块冰。

沟通，沟通，还是沟通，不厌其烦。

与作者谈判的16字方针：不卑不亢、有理有据、若即若离、又推又拉。

6. 拿什么留住你，我的金牌作者？

辛辛苦苦开发了一个作者，红了以后就被别人挖走了，为他人作嫁衣，损失惨重。但又不能用一些霸王条款，限定作者只为你服务。发掘作者对于出版机构来说是"打江山"，而维护作者资源则是"坐江山"，"打江山"不易，"坐江山"更难。其实，一些作者也不想瞎折腾，跟一个出版机构熟了，各种问题沟通都顺利，换一家是有风险的。但是合作的过程往往是博弈的过程，人的本性也都是趋利避害，留住金牌作者的确是一个难题。如何才能"坐稳江山"，即我们应该怎样维护好作者资源？

作者资源的维护依靠三点：

一是筑巢引凤。出版机构的实力，也就是竞争优势和吸引力在哪里。

经济实力、营销实力、市场占有率、品牌实力等，只有拥有这些，才能留住"强"的作者。如果出版机构矛盾重重，市场影响不强，那再好的作者也留不住。

二是炼好内功。编辑个人的魅力，也就是职业素质和职业道德有多高。

三是抛砖引玉。产品链的吸引力，让作者明白还有更多的作品让他创造或为他量身定制。

● **案例：郭敬明、陈火金、曲黎敏为什么都选择"金黎组合"**

郭敬明的《小时代》：有出版社愿给郭敬明600万元的版税，但他最终选择"金黎组合"。"金黎组合"不仅给他版税，还把销售利润的一部分给他。抓住的不仅是一个郭敬明，而且还有那些以他为旗手的一大批作者，抓住了郭敬明也就等于抓住了他们。

陈火金的《股民基民常备手册》："中国股史写作第一人"、"新股民"概念提出者陈火金为什么选择了"金黎组合"？因为"金黎组合"开出的条件是新书起印30万册，稿酬高达100万元。

曲黎敏的《从头到脚说健康》：从曲黎敏出版《黄帝内经：养生智慧》开始跟进。曲黎敏所有的演讲、讲座，"金黎组合"全程参加，规划和设计出版思路。与作者深入沟通，为其量身定做一个全新选题，最大限度保证图书的质量，取得最佳的销售成绩。

金丽红手里有一个作者名单，全国销量在20万册以上的作者名单都在里面，一共50人左右，他们已经出版了其中的二三十位的图书。

7. 编辑在平时工作中如何维护作者资源？

编辑是出版机构的"全权大使"，不是个人的行为，而是代表着整个单位的形象。

（1）在平时工作中养成良好的作风。

① 作者是通过编辑进而认识出版机构的，你不仅是你自己！

② 努力成为作者的良师益友，从而拉近与作者的距离。

③ 处理稿件要及时，评价稿件要客观，退稿要委婉但也要指出问题。

④ 编校必须认真，装帧设计要让作者满意，对稿费的支付要及时。

（2）从小事中与作者建立深厚友谊。

① 节假日向作者寄上一张贺卡或打电话发短信问候也是很好的方法。

② 细节处理，更容易感动作者，赢得作者的信任，最后留住作者。

（3）坦诚相待，与作者做知心朋友。

① 不能在需要作者书稿时热络得不行，图书出版后将其忘之脑后。

② 当作者遇到困难时，要主动与之联系，这样作者才会真正感谢你。

③ 想其之所想，想其所未想，作者感到受重视，有书稿时首先想到的就是你。

（4）当挚友还要当诤友，要发挥自己的参谋作用，敢于给作者提出意见。

（5）当朋友不代表就毫无保留，在同作者的交流中一定要注意保守商业机密。

8. 发现、培养作者的三个层次

发现、培养作者的三个层次是：跟进作品——跟进作者——包装作者。

第一层次：跟进作品。做不了第一，可以做第二，但是千万别做第二十。能从这里发现整个图书市场的走势、流行潮流，那么他就是高手。如《谁动了我的奶酪》、《明朝那些事儿》、《求医不如求己》，注意速度、角度和力度。

第二层次：跟进作者。抓住重量级作者不放，把他们的系列作品积极推向市场，刺激读者连锁需求。抓住他们，就找到了一台"印钞机"。如卢勤的家庭教育系列、洪昭光的健康快车系列，注重产品延伸。

第三层次：包装作者。跟进作品，也就一部；跟进作者，可能会被人抢走。有远见，就把作者紧抓手上，通过整合营销，创造出版奇迹。如包装郭敬明，通过包装，把他们从写手摇身变成偶像。

9. 开发与维护作者资源的两个飞跃

（1）从炒作作者到炒作概念。

通过包装一个概念，把某一类图书、某一类作者集中到里面。通过包装这些概念形成一个流派，形成一种热潮，最后形成一股持续的销售波。

成功策划运作《布老虎丛书》并提出"布老虎"这一概念的安波舜，有一个观点："金牌编辑包装思想，银牌编辑包装作者，铜牌编辑包装图书。"

世界图书出版公司出版的《富爸爸 穷爸爸》十分畅销，还形成了一个新概念：财商。经过运作推广，大获全胜。推出《富爸爸 穷爸爸》后，又推出一系列相关图书，如《富爸爸图书指南》等。由于"富爸爸"的开发，他们还成立了北京财商教育培训中心。

（2）从包装知名的作者到培养忠诚的读者。

成立读者俱乐部、定期召开见面会，办专题网站、出版手册。紧抓对某类具有连续出版前景的图书的读者或对某位作者作品特别喜爱的读者，建立长期联系。

三、寻找优质作者的 9 大途径

1. 通过各种业界的聚会和研讨会

图书行业的各个环节，均有一些正式和非正式的聚会和研讨会，有高端的诸如北京出版集团等主办的培训交流会，也有一些出版行业的编辑的聚会，甚至还有一些作者组织的民间沙龙。作为一个新编辑，应该尽可能多去参加，如此，可以更好地了解专业发展动态，交流与共享作者信息。

2. 定期到书店了解新书出版信息

不可深陷网中，当当网、卓越网看到的信息不全面也不真实，走出去到实体书店，才能知道书的开本尺寸、用纸、工艺、印刷颜色等信息，而这些信息可能影响着书的命运。生活永远比网络更丰富、更精彩。

到书店，去看看作者受欢迎程度，了解其他作者及书的创意装帧。

● 案例：国内著名图书策划人金丽红

著名图书策划人金丽红坚持每周六到书店待一天，而且要求她的编辑和发行员也到书店去。第一，去看自己做的书受读者的欢迎程度；第二，去观察其他竞争对手最新的动态。而且，在这个动态的连续的观察过程中，有可能发现很多作者以及好的创意。无论是编辑还是发行员，都要热爱书，定期到书店观察，观察你所在的出版机构、你喜爱范围内的图书的出版情况，也就能从中发掘到一些好的作者。

3. 订阅报刊

对于报刊，不是要逐字逐句看，先浏览，感兴趣的仔细看；不感兴趣的看个大概。

● 案例：《生命的留言》的发现及出版

华艺出版社的一名编辑在《中国青年报》上发现一条消息——一个叫陆幼青的人患了癌症，在医院里坚持写日记，记述他得癌症之后的心路历程及他对这个事件的认识，但在日记里他很少谈到死亡，而是用一种平静的心态来谈人生。他认为人要敬畏生命，而且要热爱生命，要珍惜生活。这名编辑到网上查看有关陆幼青的信息，发现很多人对他所谈的事很感兴趣，编辑就找到陆幼青并出版了这本书。这本书在出版之后成为中国癌症协会的推荐书目，并且很多人把它当作一本很好的励志书，获得了非常好的市场反响和社会效益。

4. 浏览相关网站

会用搜索，先到网上寻找有关信息，再与作者交谈，更易沟通。

●案例：《哈利·波特》在中国出版

《哈利·波特》的出版给出版界带来了一次盛宴，人民文学出版社仅凭这本书每年带来的图书销售码洋就不下一个亿，人民文学出版社能出版这本书的中文本，是他们的编辑王瑞琴、叶显林在网上看到有关《哈利·波特》出版的消息，同时在《中国图书商报》上也看到了消息。他们主动和这家出版社取得联系，并决定引进出版这本书。

5. 研究、利用好数据

数据无情却最有力。

通过专业研究机构提供的数据学会认真、全面的分析，让数据变得有价值。数据要实现从模糊到量化的转变。有些图书可以在开印之前就找好一部分买书的人，可能是作者自购，可能是机构团购，先有这个数据保证后，再谈其他后期的销售，至于它以后能不能畅销一百万，那是后话。

做书是一项系统工程，经手的人无数道，不可控因素太多。因此，要尽量把那些主观的东西变成客观的东西，比如读者分析，基本是编辑自己主观臆测。与其做这种主观的读者分析，不如去做客观的作者谈判。

6. 关注畅销书排行榜

图书排行榜是出版行业的热点问题，各种各样的图书排行榜也层出不穷，它的存在价值巨大。我们知道，被放置在书店明显位置的排行榜、或者在网络上产生巨大看点的排行榜，首先就对读者的购买起到了很大的促进作用，毕竟大部分读者是因为流行的东西吸引他们的注意力，进而拉动了消费。

因此，要通过国内外排行榜上发现有用的作者信息，特别是中华文化圈内的畅销书。

不过，这里要说的重点是：对专业的图书策划编辑来说，仅仅关注图书排行榜的前 10 名、前 20 名，意义并不是很大。应该关注的是：①类型划分后的图书排行榜；②至少关注特定类型的前 100 名。为什么？

哪些书可以畅销？哪些书注定滞销？这并不绝对！但是，存在于前100名的名单上，最容易发现潜力畅销品。关注前100名的价值远远超过对前10名的关注。为什么呢？一般来说，前10名都是各种综合手段的效果，涵盖了概念策划（创意）、内容创新、营销力度、作者知名度、出版社名气、封面设计、装帧效果、印刷效果、图文制作等，这些各种手法的综合作用，才导致了该书的畅销。

进入100名榜单的，很多都是创新的作品，但是在扩大市场份额上还需要时间。看100名的榜单，有助于再次的自由重组、扩大思路，从而导致新品类的构成。退一万步讲，就算是跟风书，也要在这100名中间选择要素的重组，否则怎么跟？有些潜力股一旦冲到了一线去，要去跟风就要考量策划着的出版速度了，这对长期揣摩榜单前100名的人来说，就容易找到新的概念，可以更快、更好地寻找到突破点和概念压制点。

读者的需求随着大环境会发生十分微妙的变化，捕捉到这种微妙的变化，有助于快速形成创意。就榜单而言，表面上是销量的点滴变化，仔细联系各个类型的榜单，我们容易从中和发现读者的兴趣点的变化，发现有哪些联系在发生微妙的变化，进而有所作为。

7. 参加图书订货会和版权博览会

每年2～3次的图书订货会和版权博览会，是各个出版机构推出作者的机会，也是结识新作者的机会。

全国性的图书行业的订货会，主要是分为北京和外地的。

北京图书订货会是由国家新闻出版广电总局主管，中国书刊发行业协会、中国出版工作者协会主办的图书出版行业的盛会，是与全国图书交易博览会、北京国际图书博览会齐名的全国三大图书盛会之一。主办方本着为行业服务，为会员单位服务，为基层服务的原则，通过丰富多彩的展订活动，努力把图书订货会办成具有看样订货、引导市场、交流信息、促进和谐等功能的大型展订会，推动图书市场繁荣发展，进一步为社会提供丰富的出版产品和优质服务。

自 2013 年起，北京图书订货会一改往日之面对图书出版发行行业的状况，而是敞开大门，面向普通读者增设了零售与淘宝旧书专区，不但为图书出版商、经销商清库存作出了更多贡献，而且也方便了首都广大读者低折扣购书选书淘旧书。

时间：一般在每年元旦后举办。

地点：近几年均设在北京中国国际展览中心（北京朝阳区北三环东路 6 号）。

外地的图书订货会则一般是在 4 月份，具体城市每年都不一样，比如 2013 年是在海南省的海口。

除了图书订货会，还有一个每年 9 月初的国际图书博览会。这是以版权展示和交易为主，还有其他国家的出版方参加。近几年以来，都在北京的新国展举办。

8. 与版权代理公司的沟通

随着信息时代的到来，版权产业正成为一个增长潜力巨大的产业，蕴藏着无限商机。而版权代理作为促进知识传播、实现文明共享的重要手段，也必将有着广阔的发展前景。

版权代理公司代理的语种，以英、日、法、俄、德、意居多，北京版代还有韩语。港台也是各代理公司业务较大的一块。各公司均有自己可圈点之处。俄罗斯的图书版权 90% 是通过中华版代进入国内的，公司与俄著作权协会达成协议，代理其所有成员的图书版权。上海版代是美国企鹅公司在中国的独家代理人，并代理海明威全部作品的全球中文版权。万达对台湾刘墉的作品的代理是最多的，刘墉当初就是通过万达进入大陆的。北京版代则独家代理大苹果公司在大陆的版权。

图书编辑在策划选题时，平时可以通过国内外版权代理公司获取并积累相关作者信息，在或许未来的某一天也许用得上。

9. 善用 QQ 群

腾讯公司那只著名的企鹅应该是目前世界上最值钱的卡通形象之一，为何？因为它的用户实在太多了。基本上，在中国乃至海外华人的网民，都拥有至少一个 QQ。而 QQ 里一般都会加入几个群。那么，这个群存在的意义，对于策划编辑来说，就不仅仅是娱乐了。玩要玩得有价值，聊天也能聊出好创意。用心、有心的策划编辑经常能在 QQ 群里通过聊天聊出好的作者来。

四、挖掘作者资源的 6 种价值

1. 名人效应价值

名人效应是名人的出现所达成的引人注意、强化事物、扩大影响的效应，或人们模仿名人的心理现象的统称。名人效应已经在生活中的方方面面产生深远影响，在出版界中被运用得淋漓尽致。简单地说，名人效应相当于一种品牌效应，它可以带动人群，它的效应可以如同疯狂的追星族那么强大。

2010 年，中央电视台著名主持人白岩松《幸福了吗》三个月热销 50 万册，同样出自他笔下的另一本书，《痛并快乐着》修订版再次上市。这部出版于 2000 年的随笔集曾经创造了 70 万册的销售佳绩，以质朴的文风与真诚的思考记录了 1990 年至 2000 年间的中国，开创了"名人出书"的另类先河。

策划该书的金丽红认为，这本书能畅销，白岩松起到关键作用。首先是白岩松的公众认可度高，大家信任他，他是偶像派加实力派，男女"老少通吃"。

2. 畅销书作者效应价值

对于"畅销书"的概念，我们是有一个逐渐认识的过程的。曾有人认为图书销售市场上那些统计出来的好卖的书，就叫畅销书。有的认为畅销书，就是指符合国内出版界流行的"二八律"说法，那些占图书总品种数的 20% 创造了全部图书 80% 的利润的图书。还有人认为，畅销书就是指那些具有商业价值、市场价值和阅读号召力的畅销书作家所写的流行的图书，或者认为代表一个时期的阅读趣味、时尚，阅读者众多的那些图书，就是"畅销书"……

像余秋雨、王朔等人，可以说是时代畅销书历史发展上比较早的畅销书作家，他们也比较早地具有图书市场的意识，熟悉自我宣传和商业文化包装，并能够以自己的作品引领一个时期的大众的读书趣味，而到现在，畅销书阅读已经走出前夜，这应该是以韩寒、郭敬明这些80后作家，易中天、于丹等这些新明星学者作为涌现出来的畅销书作家为标志。

这些作家图书的出版、营销，是通过了策划、包装、宣传等这些商业化运作的模式，而其选题内容大多也是当今社会流行的、时尚的、娱乐的文化内容。他们的版税收入是以他们出版的图书发行册数 × 定价 × 版税率的方式来计算的。他们以图书出版的年收入位居前三名，也说明了他们图书的发行量的巨大，这从而也可以断定他们拥有了大量的读者群体。

3. 品牌作者溢价效应价值

品牌作者是可以溢价的，如同一本书，没有品牌作者名字和打上品牌作者名字，读者会更愿意花更多的钱买标志品牌作者那一本。

虽然是同一本书，但是读者心理情感会影响购买意愿，于是有了品牌作者的溢价效应价值。换言之，品牌作者溢价效应价值也包括作者名人效应、畅销书作者效应等。

以郭敬明为例，郭敬明创办《岛》、《最小说》，通过自己的品牌溢价推广了一批新锐作者。一旦签约，郭敬明就开始在自己的平台上狂推新人，用他自己的话说，就是"把郭敬明的影响力和品牌价值，用最快的速度复制到新人身上，使他们同样具有市场号召力"。"一个文学新人，只要我认可他的文章，在《最小说》上持续强推三期，他就会在学生群体中形成影响力。而这种模式可以不断复制到新人上面，一旦新人形成了品牌效应，可以再回过头来推动《最小说》的影响力和销量"。

4. 作者话语权价值

权威人士的观点往往更具说服力，取得读者信任，尤其是行业、专业权威人士对于一些专业问题发表的看法。包括健康养生类畅销书，如何裕民（肿瘤治疗专家）《癌症只是慢性病》，王凤岐（著名中医内科专家、国医泰斗秦伯未嫡传弟子）中医养生系列图书；禅悟类畅销书，如南怀瑾、星云大师、净空法师等的著作。此外，还有一些学术性专业性著作更加注重作者的话语权。

5. 作者的关系价值

营销中有个一著名的"250定律"：每个客户身后都有250个潜在客户。

同理，每个作者的背后或身边，都有着250个人。如果是名人作者、畅销书作者，那么他们自身的人脉关系强大的话，也可以通过他们把这些人变成作者。

在现代出版史上有一个亚东图书馆，它虽没有商务印书馆和中华书局的影响大，但是它所出的300多种图书中有1/3的作者都是中国现当代名人，像胡适、陈独秀、蔡元培、钱玄同、刘半农、朱自清、徐志摩、蒋光慈等。特别是胡适，很多有名的书，像《中国哲学史大纲》、《胡适文存》等都是在这里出版的。今天亚东图书馆虽然不存在了，但是人们会记得亚东图书馆，就是因为它出版了这些好书。

亚东图书馆之所以能够出版这些好书，关键是它有一个好的当家人——汪孟邹先生，他通过老乡胡适和陈独秀的关系，把当时一批文化名人笼络在自己麾下。

6. 作者所在的平台价值

体现在作者所在平台的优势，即其影响力。如开发和推广百家讲坛系列图书，包括《于丹论语心得》、《易中天品三国》等。其作者均曾在百家讲坛开讲，而百家讲坛作为国家网络电视播出机构央视的一个栏目，本身具有一定的影响力。当百家讲坛热播后，已经形成一种平台效应，几乎只要在百家讲坛开讲的学者都能很快走红，俗称"学术明星"，其著作也成为畅销书。

本小节实训项目 >>>

从今天开始,给自己两个月的时间,建立一个不少于50位作者的作者资源数据库。可以分为文学类、社科类、生活类等。具体数据包括:姓名、性别、籍贯、代表作品、合作过的出版社、作品特点等。

第五章

差异化制作

读者不拒绝高定价，而是拒绝平庸、雷同、没有差异化。没有任何差异化的拙劣复制与模仿和借势，就会成为笑话。因此，要学会在"相同"中寻找"不同"。本章从文案写作、目录搭建、内容编校三个小节进行阐述怎么做到"差异化制作"。

第一节　文案写作

你会怎么形容"瘦"？有人说：瘦成一道闪电！

你会怎么描述"青春"？有人说：青春是一手握不住的流沙！

你会怎么形容"思念"？有人说：思念如刀让我伤痛！

没错，好文案具有画面感！

做书目的是卖书，卖出书前提是把信息传递出去，而把信息传递出去的关键是文案！

我们抱怨书卖不出去，其实问题往往不是编辑水平与图书质量，而是沟通——信息不对称、表达不到位！

文笔好≠会写文案！会写文章≠会写文案！

图书的广告文案绝不是小学生交造句作业。

那么，图书文案写作有几个过程呢？

一、聚材分析。

二、创意运思。

三、构篇撰写。

四、编排誊清。

同时，要记住图书文案写作的几个要点：

① 要积极不要消极，要正面不要反面。

② 把自己放在产品里。

③ 用你生活或你了解到的别人生活活化你的文案。

④ 如果有什么感动了你，就有很大机会感动别人。

⑤ 文案就是发现的过程，而不是拼命地写。

⑥ 动笔而非动电脑，电脑是修改工具而非创作工具。

在一般的图书出版中，策划编辑需要了解的文案写作有五大方面：封面文案、腰封文案、书评书讯、新书预告、新闻稿、编辑手记。接下来，我们详细讲述。

一、封面文案

1. 产品符号

完整的图书封面设计，除通常的书名、作者、译者、出版社名称、ISBN、定价、图案等元素之外，还应适度加上封面文案、腰封、广告语、出版商、品牌书系（或丛书）名与LOGO等。这些小的文案设计，能使读者较好地认知这套书的定位、读者需求、出书品类，等等。

而在诸多封面文案元素里，首先重要的无疑是书名。作为文化商品，书名一定要涵盖卖点，让读者一读就懂。书名要简洁有力、吸引人，最好控制在9个字以内。如果实在无法用简短的几个字涵盖书中所展现的精彩内容，可考虑采用副书名。

其次是图书主广告语，也叫"封面文眼"，即最能体现一本书内容亮点的文案，最好是一句话。在当今注意力经济时代，"3秒钟效应"的吸引力法则同样适用于封面文案的撰写。读客图书公司的系列书，书名正上方或正下方，往往都有一句"定语＋中心语"的短句来提示图书内容，如《藏地密码》的主广告语"一部关于西藏的百科全书式小说"，又如《兄弟我在义乌的发财史》的主广告语"一个义乌小生意人 400 块钱起家的发迹史"。这也形成了读客图书差异化的标志性文案特征。

封面设计元素：与书名建立联想的产品符号。

图 5-1 读客公司一些畅销书封面用到的产品符号

再次，其他辅助文案。除书名外的剩下文案都应该围绕着书名建构，如其他定位语、作者简介、广告语等。需注意的是，除了有形的文字文案外，图示文案的重要性也不容忽视。一个图标，一个图形，往往能替代很多文字文案。

2. 作者简介

① 要给作者提升，优化。

② 不要无中生有，但可适当夸大。

③ 同样一个意思，换种表达，效果不一样。

④ 模糊有时比精确更有用。

⑤ 借助一些媒体为作者资历加分。

⑥ 平淡的经历可以写出精彩。

⑦ 结合图书卖点，只写"相关"的经历，切忌面面俱到。

⑧ 及时更新补充作者信息。

常见的作者简介有这么几种风格：

（1）一般作者：量身打造，个性化包装，写出彩。

如《别告诉我你懂PPT》的作者简介，结合作者经历和图书内容，以戏谑化口吻，写得"有滋有味"：

李治，毕业于一所盛产国家领导和恐龙的学校，无奈属于后者。漂泊异国学习，后自愿卖身到一个严禁喝可口可乐的公司（甚至说这四个字时，都要咬牙切齿）。如今正在给"酶"老板打工。洋插队7年间，借助PPT在大鼻子们面前露了一小脸；在高手云集的PK大赛中，10分钟轻取500美刀奖金；工作后，PPT助她在公司大红大紫。现特将秘籍带回祖国，向职场中打拼的兄弟姐妹们晒宝。

（2）名人作者：淡化熟知信息，及时更新，客观阐述。

名人作者对图书宣传和销售的帮助都很大，但在介绍时应以基本信息传达为主，不能加入太多评论文字或太夸大，以免在读者心中引起出书"炒作"的念头或者华而不实之感。

如中央电视台著名主持人柴静2012年出版的新书《看见》，勒口没有大写特写她获得的荣誉，而是平实客观地对她的经历进行了简单介绍，反倒给读者一种亲切朴实之感：

柴静，山西临汾人，1976年出生。曾在湖南文艺广播电台主持《夜色温柔》，在湖南卫视主持《新青年》。2001年进入中央电视台，先后在《时空连线》、《新闻调查》、《24小时》、《面对面》等栏目担任主持人与记者。现为央视一套专题节目《看见》主持人。

（3）传奇作者：突出职业特色或不凡经历，写出看点。

如《河神·鬼水怪谈》的作者简介，抓住类型读者的好奇心和偶像崇拜心理，重点交代了作者地位及其写作风格：

天下霸唱，中国最具想象力的悬疑作家。2006年，凭借《鬼吹灯》系列作品在网络上迅速蹿红，并成为出版界的畅销神话，现为国内最令人瞩目的青年作家之一。他以天才般的想象力，驾驭文字、讲述故事的完美技巧，受到千万读者的追捧。

3. 封面广告

具备强烈的煽动性与带动性：

① 用最少的字数，达到最好的效果。

② 说到读者心里，击中心中的渴求。

③ 做到图书卖点、读者兴奋点、媒体兴趣点三位一体。

④ 讲究实事求是，不要让读者反感。

封面广告文案的几种风格有：

（1）正面讲述式。

围绕书名和主题，如《幸福女人不抱怨》一书的封面文案，围绕"不抱怨"的意义展开，文案对书名起到了很好的补充说明作用。

（2）明确主题式。

对于书名简洁明了有力的图书，封面就不必用太多的文案渲染，以吸引读者打开阅读内部的精彩。如《毕业5年决定你的一生》，封面设计就重点突出书名，封底则精选分论点进行阅读提示；《当代男人，成功靠玩商》，也是把重点放在书名设计上，然后突出"颠覆'玩物丧志'，倡导'玩物励志'"等一两句广告语，提示卖点。

（3）信息轰炸式。

"运用之妙，存乎一心。"这和强调封面文案要简洁的原则并不矛盾，而是一种适度的"乱之美"。如台湾版的《不抱怨的智慧》，文案虽多，却展示了如片片雪花一样的"烦恼"，与书名相映生辉，对书名的意境烘托形象而恰到好处。心理学、漫画类等方面的图书文案适合此类风格。

（4）简洁明了式。

文学、艺术类、科技类等以意境、图画展示为主的图书封面，文案比较适合这类风格。简约中尽是返璞归真的意境美。如韩寒的《青春》、

《我所理解的生活》，封面除了书名、作者名、出版社外，只有简单几笔的设计，文案也只有一句话"这一代年轻人的希望在哪里"，甚至没有，却显得分量十足，也使读者充满了较高的阅读期待。

图 5-2 韩寒的《青春》、《我所理解的生活》

（5）名人评论式。

大多数图书在封底都会放上名人的推荐语，或是对作者的评价，或是对图书内容的评价，有助于提升图书的可信度。

（6）提炼观点式。

为了提升图书内容的可信度和权威性，在封面文案里引用权威人士或媒体的言论；为了提示读者图书的可读性，在封面设计里精选内容要点，引导读者阅读。

封面广告文案关键是"文眼"，那么，如何找到它呢？

① 一句话告诉别人你是什么。

② 这句话要考虑的是为读者提供一套知识系统。

③ 永远对精确读者群说话，鼓动他们尝试，为他们提供附加价值和购买理由。

④ 向精确读者群发出购买邀请。

⑤ 为读者设计选择题，让答案指向自己。

总之，封面文案要做到三个字："精"，寥寥数语展现图书的内容；"准"，体现让读者非买不可的特点；"狠"，把其他书都比下去。既要有煽动力，戳中读者笑点或泪点，吸引读者购买，也要能对书的内容和价值锦上添花地进行点睛。

4. 封面文案的设计原则

《中国图书商报》2012年6月5日刊《解读封面密码：畅销书封面制作的13条军规》对封面设计及文案注意事项总结了13条，这里列举其中的10条：

① 书名字体及设计多数情况下以印刷体为主。手写体适用于一些精品书或名家常销书。

② 书脊上书名应尽量醒目。

③ 知名作者，要尽量突出。

④ 像制作广告语一样，制作封面文案。

⑤ 除非刻意，不得使用生僻字。

⑥ 名人荐书，有用但需节制。

⑦ 草根推荐，更具可信度。

⑧ 美与实用，不可兼得，舍美而取实用。

⑨ 首先考虑作者，其次配合内容。

⑩ 既要"是"同类书，又要能脱颖而出。

在封面主色调选择上，日本畅销书推手《这书要卖一百万》作者井狩春男认为："成为畅销书的图书，在颜色的选用上都有共通性——也就是所谓的暖色系。我把这种颜色称作'畅销书颜色'。封面色调阴暗的图书，几乎都被打进仓库安息。最有力的颜色，也就是红与白的组合，是指乳白色和红色系、粉红色或橙色、黄色等的组合。这并不是我的歪理，有明确的数字可查。畅销书的封面设计几乎都是这些颜色组织而成的。"当然，主色调的选择还是因书而宜，不一定是红色和白色，但亮色调的书无疑抢眼和胜出的机会更多。

如《人脉是设计出来的》系列三本书，分别选用荧光绿色、橙黄色、紫色作为封面主色调，摆在书架任何地方都非常抢眼，其畅销也在情理之中。

二、腰封

1. 腰封制作技巧

腰封作为封面的附件，就像领带或丝巾等搭配给服装带来的增色一样，不是必备构成却有着不可替代的意义。《这书要卖一百万》的作者井狩春男说："如何制作吊人胃口的书腰"是书的行销要件之一。

那么，腰封制作有哪些技巧呢？

（1）名人推荐。

图书要畅销，卖点之一就是作者的名气。有品质感、信任度高，名人效应对图书营销和售卖的拉动作用是显而易见的。

可以用名人的近照，吸引读者眼球；可以引用名人的推荐语或相关话语，增加图书的分量。如《拆掉思维里的墙》、《领导都是讲故事高手》等书，都在腰封放上了作者近照，并分别放了教育界、心理学界、企业界等相关名人的推荐。2013年两会后中国友谊出版公司出版的法国学者托克维尔的《旧制度与大革命》，腰封上放上中纪委书记王岐山2012年11月30日对与会专家学者的谈话："我们现在很多的学者看的是后资本主义时期的书，应该看一下前期的东西，希望大家看一下《旧

图5-3 《拆掉思维里的墙》、《领导都是讲故事高手》、《旧制度与大革命》

制度与大革命》。"这本外版书最早的中文译本是由商务印书馆出版的,读者群较窄,但因为王岐山的推荐,一本老书顿时"洛阳纸贵"。出版社抓住这一选题亮点的眼光让人赞叹。但需要注意的是,"名人效应"不可滥用,尤其是对于国家领导人的话,要慎重引用。

(2)量身定制。

安徽人民出版社出版的中华人民共和国文化部前常务部副部长高占祥先生寄语当代青年的新作《照耀生命的第二个太阳》,针对作者特殊身份和书名的意象化特征,量身制作了简洁的腰封,对作者、全书内容及看点进行提示,立即使此书清晰、鲜活了起来,封面色彩层次也丰富了许多。想象一下,假若没有了腰封,读者看到此书的第一反应会是什么?色彩单调?题材模糊?缺乏庄重感?

图 5-4 《照耀生命的第二个太阳》有无腰封对比

(3)自我定义。

一些常销书,在营销方面很难找到媒体兴奋点,但是不营销,就是束手待毙,等待被淹没在浩如烟海的书海里。怎么办?自我定义,自我代言!

如中国纺织出版社出版的《担当》,是一本面向党政领导干部的官德修养书,原来的封面下方放的是"降低企事业单位运行成本,提升团队凝聚力和战斗力",加印后添加了腰封"《人民日报》头版谈从政道德：领导干部要有历史担当"，立即就使此书的高度感获得了提升。

《人民日报》头版谈从政道德：领导干部要有历史担当
目前市场上唯一一部全面深入研究"担当"话题的著作
多位市委书记亲自作出批示，要求领导干部认真阅读，抓好落实各项决策部署。众多企业老总团购送给员工，增强个人的职业化素养，提升企业的核心竞争力。

图 5-5 《担当》腰封文案

"自我代言"图书的腰封文案写作技巧：

① 巧妙借势——权威媒体的话题报道

② 适当夸张——模糊语言的巧妙运用

③ 定状结合——确定下本书的唯一性

（4）借力而行。

如《敬畏：领导干部必须坚守的信仰底线》，引用众多中央领导人谈及"敬畏"的话，为自己在图书市场的"高调亮相"博得了仪式彩。腰封更是引用习近平总书记语重心长、掷地有声的话，让领导干部无不想怀着敬畏之心阅读。

（5）见机行事。

腰封比起封面的最大一个优势，就是其灵活性。作为"活"的图书构成部件，不仅尺寸可大可小、位置可横可竖，文案也可以"见风使舵"。

如 2008 年 12 月中国纺织出版社出版的《华尔街战争》，刚上市不久就"迎来"了 2009 年从欧美席卷而来的全球金融危机。中央电视台记者

图 5-6 《华尔街战争》腰封文案

刚好去北京图书大厦报道此类书,镜头传回的画面也无意中使这本书"露了脸"。该书策划编辑敏锐捕捉到了这一宣传价值,为该书增补了一条腰封:"中央电视台《新闻30分》、《朝闻天下》接连报道,新浪网、腾讯网读书频道等争先连载,好评如潮……"关注金融危机的读者,还会对书架上的这本书"不屑一顾"吗?这本书一下子畅销了!

2. 腰封的功能

综合来说,每一个腰封在设计之初都应该有一个清晰的功能定位,在此基础上再从材质、形制、平面设计和文案撰写四个方面进行分类设计。从腰封的功能入手,简单来说,可以分为装饰型腰封和促销型腰封两种。

(1)装饰型腰封。

装饰型腰封应该便于收藏,要使用强度高、伸缩性小、抗水性能好的纸张。另外,由于带有装饰性腰封的图书封面装帧元素较少,略显单调,大部分的读者在购书以后都会选择保留装饰型腰封。因此,此类腰封所选用的材质也应该尽量把其对阅读的影响降低至最小。腰封对阅读过程的影响主要有两种情况:一是腰封在翻阅过程中极易脱落,二是腰封面积太大、硬度太高,造成书页展开的不便。

对阅读阻碍较小的腰封具备的特点如下:第一,腰封的面积较大,它所覆盖的面积一般不小于封面面积的一半。第二,腰封所使用的材质轻、薄、软,与封面合二为一时不会增加过多的重量,也不会增加太多的硬度。第三,图书的封面往往带有勒口,而且勒口具有一定的宽度。由于腰封需要覆盖书的前后勒口,腰封的勒口部分也比较宽。装饰型腰封的形制应该参照以上三个特点进行设计。

作为书籍装帧设计的一个部件,装饰型腰封需要辅助图书封面完成富有层次感和节奏感的视觉传达。为了保证腰封和封面设计风格的一致性,装饰型腰封的设计者应该就是本书的装帧设计师。此外,也有人指出,使用腰封的另一个目的是为了图书设计风格的区分。装饰型腰封理应承担这项职能,成为书籍装帧设计师们最大限度挥洒创意的图书部件。

未来装饰型腰封的设计，应该多在腰封形制以及腰封与封面之间的关系这两个方面寻求创新与突破。

（2）促销型腰封。

促销型腰封的主要功能在于宣传促销，不需要具备收藏性。但其所使采用的材质仍然要保证很高的强度和硬度，以免影响到促销作用的发挥。这类腰封并不需要在视觉传达设计上花费过多的心思，它最重要的设计元素是腰封的底色，需要运用与封面色彩具有强烈明度差的颜色，以吸引读者的视线。腰封上的文字信息，如欲达到利于阅读的视觉效果，文字色彩与底色之间也必须具有较大的明度差。当然，腰封图案设计也可以借鉴一些台湾图书的做法，即用腰封所遮盖的那部分封面图案作为底图，或在此基础上做一些明度的整体改变。

也可以利用促销型腰封来做一些创新性的设计。据调查，一些读者认为腰封其实可以用带有宣传信息的小书签替代。也有一些读者经常把腰封当做书签使用，但由于长度或宽度的原因，不如书签方便。一些图书也有附赠书签的贴心宣传方式，虽然确实具有一定的实用价值，但对图书营销者来讲，与包裹着图书封面的腰封相比，夹在书中的书签在图书宣传方面会大打折扣。事实上，可以把两者结合起来，也就是说，书签与腰封可以进行一体化的设计。通常，设计者会把关注点放在腰封封面与封底上，却忽视了腰封中的书脊和前后勒口这三个信息传递点。如果把封底的信息转移到勒口，封底部分的腰封完全可以用来做一个体现这本书主题的书签。也就是说把设计好的书签印在腰封上，在书签的边界印上剪裁的虚线，或者在腰封制作中压制书签的边线，让书签更方便拆下。但这种做法，可能会提升腰封的设计和制作成本，这需要图书装帧设计者认真测算掂量才能进行决策。

3. 腰封文案的设计原则

腰封作为图书装帧设计的一个部件和推广营销中的一种广告媒介，不仅集聚着文字、插图、数字、出版品牌等信息，还包含着策划者的营销卖点，因此使用也越来越广泛。但是，在制作使用时，仍要把握一些基本原则。

首先,要避免"无书不腰,滥用腰封"的现象。腰封的设计和制作需要成本,腰封的制作费用要根据其用纸和印刷工艺来估量,滥用其只会给自己带来更多的经济压力。同时,不必要的腰封还会破坏封面的美感,引起读者的反感。

其次,要杜绝打擦边球现象,以免侵犯名人的权益。腰封放上名人推荐,固然能点亮一本书,但侵犯名人权益带来的风险和后果同样是不可估量的。梁文道有个戏谑性的绰号叫"腰封小王子",因为他常常出现在很多书的腰封上,成为"倾情推荐人",而他对那些书的作者、内容甚至完全不知情。有的书直接替他写了推荐语,或者把他的话断章取义,让人不可思议。一旦"被推荐"的名人拿起法律武器起诉,那么一本书就可能面临"灭顶之灾"了。

再次,腰封文案要合情合理,不能过度夸张甚至违背常识。如阎连科的《我与父辈》,腰封上赫然印着:"万人签名联合推荐,2009年最感人的大书,最让世界震撼的中国作家阎连科,锥心泣血的文字,千万读者为之动容,创预售销量奇迹,超越《小团圆》。"如此煽情夸张的宣传和对比,只会让理性的读者对出版者嗤之以鼻。

一些图书的腰封虚夸图书内容,甚至伪造名人推荐语,以致不少读书人厌恶地将不良腰封称为图书的"牛皮癣"或"妖封"。一份关于腰封的调查中,有55.6%的购书者认为腰封上的宣传语对选购图书的影响很小,因为这些宣传语一般都是出版者所做的夸大宣传。相信这一调查结果对出版界的腰封设计者和"腰封热"来说,无疑是一盆冷水。

对说服性传播研究作出突出贡献的传播学家卡尔·霍夫兰在对信源的可信性与说服效果的关系进行了实证考查后提出,信源的可信度越高,其说服效果越大;可信度越低,说服效果越小。可信度包含两个要素,即传播者的信誉与专业权威性。由上述调查可知,在购书者心中,腰封的传播者的信誉若缺失,就会导致信源可信度较低,说服效果较差。

如何才能挽救出版者的信誉呢?当然还是要从诚实、客观、公正出发。翻看 20 世纪三四十年代名家和出版社撰写的图书广告文案，就会发现这些短小的文艺短评，文字质朴平实，而又不失文采，传达出撰写者真实的阅读感悟。再对比如今不少出版社撰写的腰封文案，则唯恐没有足够的噱头，或生硬地与名家名作拉扯上关系，或使用恶俗浮夸的推荐语言，有的甚至在作家不知情的情况下将其列入推荐人名单。客观、真实地编写腰封语言和广告文案，是出版者最起码要遵守的规则之一。

在客观诚实的基础上，腰封文案还要活用传播技巧。说服性文章构成法的一个问题，是应不应该在文章中做出明确的结论。一部分促销型腰封为了体现文案的文学性，仅仅向读者提供引导性的判断材料，使得图书的主题、情感和思想都难以捕捉。根据众多研究的成果可得出，在论题和论旨比较复杂的场合，"明示结论"比"寓观点于材料之中"效果要好。促销型腰封广告文案最好能够根据情况明确地说明一些有关本书的内容，如介绍作品创作的年代和背景，以及对于作家来说该书是新作、近作、旧作或是遗作，等等；说明作者在文坛的地位，并评价作品在作者写作生涯中的特殊地位。例如，文化生活出版社早年的图书广告文字："《雷雨》是曹禺先生的第一部剧作，发表以来，轰动一时，各地竞相排演，开未有之盛况。"也可以引用作者自己的话来解释题目。比如，梁文道作品《噪音太多》的腰封上印有他自己的话："我觉得自己写的东西不分雅俗，有时小众有时主流，正是想来回跨越那道界限，使众声喧哗，故名《噪音太多》。"

另外，一本书是否使用腰封，应该在编辑进行图书策划的阶段就进行论证决策。腰封的设计和制作需要成本，制作一个腰封的费用要根据其用纸和印刷工艺来估量。所以，编辑对于图书销量的预估就显得尤为关键。而一本书能否畅销，除了与图书本身的内容品质密不可分外，还往往与当下的社会政治、经济、文化、教育、科技等环境息息相关。是否需要腰封，编辑应该在客观分析图书是否具有畅销潜质后，结合这本书的起印量和营销经费进行综合考量。

除了经费问题以外，腰封是否使用应该参考图书目标读者群的常见心理。比如，文化程度较高的目标读者群，对文学作品已具备一定的鉴赏能力，腰封这个部件则大可省去。因为这类读者往往已形成比较成熟的个人发展计划和选书决策模式，善于利用各种媒介发布的图书信息、读者反馈，结合个人的试读体验，最终做出购书决策。以促销为目的的腰封上哗众取宠的广告语和销量数字不仅对他们的影响很小，反而容易引发他们产生一种"腰封玷污文学"的负面情绪。质朴素雅、书卷气十足的装帧风格，才最符合这类读者对于书籍的期待。

是否使用腰封还与图书卖点的性质相关。适合放在封面的卖点往往需要与图书本身结合紧密，比如精彩的书摘与书评、内容上的精彩之处、作者介绍，等等；而适合放在腰封上的卖点通常是从这本书与社会大环境的互动关系中提炼。比如，一些出版机构常常以国内外发生的重大事件、大众关注的热点话题作为文学图书的选题，选题的新闻性就属于适合放在腰封上的卖点。当然，比新闻性更为常见的卖点还有获奖信息、受欢迎程度、与图书相关的影视作品信息等。

腰封的设计者，很少从读者使用的便利性和腰封功能的延伸方面出发，考量腰封的设计细节。很多读者都感同身受：在购书行为发生后，腰封往往成为"食之无味，弃之可惜"的鸡肋。一些腰封本为装饰之用，却因材质使用不当，容易脱落或破损，为阅读带来不必要的干扰。也有的出版机构在设计精美、材料考究的腰封上印上商业气息浓厚的广告文字，使其收藏价值大打折扣，而丢弃此类腰封又多少会影响到图书装帧的完整性。原本作为图书必备部件的腰封，却往往使读者陷入两难的境地。

三、书评和书讯

1. 书评、书讯、新闻稿的特征及区别

书评、书讯、新闻稿都是对新书进行营销宣传的方式，但在字数、

写作风格、读者对象等方面有区别。

书评，主要是针对新出单本书或套书丛书进行评价式撰写。编辑可从策划背景及思想、出版价值、阅读意义等方面进行撰写；独立第三方书评人可从其内容启发、外在形式等方面来撰写，字数不限，不拘一格。

书讯，特征是短、平、快，简单迅速地将新书信息在媒体进行发布。一般要求在几百字以内，新华书店和经销商、渠道商等是主要读者对象。

新闻稿，是从媒体角度来向广大读者通报新书出版信息和签售、发布会等活动最新动态，顾名思义，要带有新闻体的写作风格。写作新闻稿的关键，是抓住"新闻眼"，从有新书有关的新闻事件角度切入写作，而新书出版的背景信息等则放在最后点明。

2. 书评、书讯、新闻稿写作的角度切入

（1）引领概念式。

2009年被媒体称为"中国不抱怨年"，因为一本引进版图书《不抱怨的世界》的畅销及其所带来的席卷全社会的"不抱怨"热潮。西苑出版社随后出版的《不抱怨的智慧》，编辑撰写的书评《2009年，中国"不抱怨年"——评西苑出版社〈不抱怨的智慧〉》就是从这一出版现象说起，点明该书的"中国特色"，使其内容亮点和阅读价值有了全新的意义。

（2）逐渐引入式。

如《创意变生意，灵光一闪财富万千》这篇书评，对当代中国出版社出版的《创意财富》一书是这样展开评价的：与《财富故事会》栏目的结缘——与《创意财富》一书的"初见"——《创意财富》一书的内容、形式亮点——《创意财富》一书的可读价值。这样循序渐进的深入展开，自然、流畅，说服力也强。

（3）开门见山式。

如哈尔滨出版社出版的《让工作快乐起来》的书评《员工快乐，企业才有未来》，开篇就点出这本书的写作背景，"（我）给他们开了一剂七个字的药方：'让工作快乐起来'。"

（4）新闻发布式。

以新闻稿的方式，融入新书的基本信息介绍和评价，吸引读者购买阅读。如《让工作快乐起来》的另一篇书评《工作不快乐是谁的错》，开头第一段以"5W"方式点明新书基本信息，接下来的段落，深入介绍作者写作此书的背景、阅读价值和风格特色，倒金字塔式结构吸引读者。

四、新书预告

新书预告指的是给可能的购买对象、媒体、经销商等发送的新书信息文本。

① 新书预告是策划的又一补充，是正式推广的开始。

② 首先说服你的销售人员。

③ 新书预告不是简单的内容简介。

④ 拼创意、拼能力、拼技术。

⑤ 突出卖点，一般以三点为宜，过多会给人造成视觉疲劳、信息混乱等感觉。

⑥ 信息齐全。书名、作者、书号、出版社、定价、中图分类号、上架建议、内容简介、目录、新书卖点等齐全。

⑦ 巧用PPT。展示为主，说服为要。展示平封、立体封、底封、侧封等多角度信息，融进策划与宣传推广思路、建议等，目的是说服媒体、经销商、渠道商等。

⑧ 层次区别。写作时，注意分层次、分段落，确保信息点简要、重点突出。

⑨ 一书多版本。针对终端读者、媒体、经销商等，不同说服目标，不同写作版本。

●案例：不同版本的新书推荐和推荐信

（企业版）新书预告

尊敬的领导：

您好！

首先，对您和您所领导的单位所取得的成就表示衷心祝贺！身为领导，相信您考虑最多的问题……如何摆脱这种困扰呢？最直接的办法……现向您推荐《××××××》一书，希望书中观点能得到您的认可。这本书正是为……量身定制的。它从……等几个方面分章节层层递进、阐述……的方法。

本书作者是……该书还得到了……的联袂推荐。

如能蒙您的推荐，相信您所领导的企业……您也将……

敬祝：万事如意！

《××××××》编辑组

（媒体版）新书预告

尊敬的编辑：

您好！

春天已经悄悄向我们走来，万物复苏，相信您的工作也欣欣向荣！

我社新书《××××××》现已全面上架，希望能得到您的大力支持，在贵刊发布本书的出版信息。

本书具体信息详见当当网或卓越网，本书作者是……该书还得到了……的联袂推荐。

如能得您推荐，我们将不胜感激，因为本书对……的推进作用正是通过您的推荐而得以扩大化的。

随信附赠样书一本，望您喜欢！

祝和顺安康！

《××××××》编辑组

（经销商版）新书预告（征订单）

图书类别		定价	
新书书名			
作者			
开本		页数	
ISBN / CIP		装订	
目标读者群		出版时间	
内容简介			
内容（略）			
作者简介			
内容（略）			
本书卖点			
内容（略）			
章节目录			
内容（略）			

五、编辑手记

编辑手记，是策划编辑或责任编辑在新书出版后撰写的关于该书出版背后的故事、感想等。它能使读者对一本书的思想内容、策划及出版过程、编辑的良苦用心和辛勤劳动等有更深入的了解，是加强编辑和读者、作者等沟通互动的良好平台。

因此，编辑手记在图书营销中有着不容忽视的地位，也是编辑必须掌握的一种图书文案写作体例。

如《中国百年经典图画书》和《复兴之路》系列书的编辑手记，把编辑的策划思路、幕后劳动、用心雕琢、读者期待等写得真诚动人，无论是同行人员看到，还是读者和作者看到，都会非常感动，对该书的重视度自然就提高了。

●案例：《中国百年经典图画书》编辑手记

努力是我们能做的。我们用心了，我们看见了，我们做到了

我曾听一个阅读推广人讲过一个故事：她的小女儿看过大量的图画书。受书的影响，张口闭口讲故事都是"我们美国"、"我们英国"、"我们日本"，可是，从孩子嘴里几乎听不到"我们中国"。对于已经开始了较长时间亲子阅读，并进行得卓有成效的家庭来说，这样的场景应该并不少见了。而在阅读推广的活动与交流中，我也常常听到家长们在问，什么时候才能有真正属于我们中国的图画书呀？

作为童书编辑，面对这样的情况很是尴尬，尤其是在现在井喷的图画书热潮中。我们承认，大多数原创图画书的质量，相较国外的经典作品，确实有着一段不小的距离。原因当然有积累和发展程度不一致的问题，欧美的一百年，日本的五十年，而我们的图画书，从概念广为人知到现在的阅读热潮，也不过才五六年时间。这个行业，无论是作者，还是作为出版人的我们，需要走的路还很长很长。

但无论如何，我们总算是起步了。

关于文本的创作，我们想过很多方向，原创也好改编也好，在选来选去的时候，不乏心动和犹疑的过程。最终，我们将目光定格在了大师的作品上，不无私心地说，站在巨人肩膀上，也许能让我们走的轻快一点，正如著名儿童阅读推广人王林老师所说：奶奶读过，妈妈读过，如今以图画书的形式给孩子读，已经具有了通向童年的密码，是三代人共有的文化记忆。同时，这也是给自己设下的一道难题，改编大师之作，本身并不是件容易的事情，更何况，还是改编成图画书。

当然，还是战战兢兢地开始做了。从着手写脚本，到绘者开始画画，这个过程，既欢欣，又痛苦。欢欣在于起步和尝试，而痛苦在于一个又一个的问题，原著的多次重读自然是不必多说了，最痛苦的是选择，保留原文好，还是删改？针对阅读的年龄段，是需要浅化，还是遵循原文本身的逻辑？文字语言与绘图语言如何互相转换？作为编辑，也作为脚本创作者，如何能够传达出自己的意图，这些都是问题。

凡事必得实践才能明白。这些书，无论好坏，总是一个起步。

立足于经典，绝对不等于简单重述，对于经典的创造性挖掘才是更有意义的。如松居直先生改编的《桃花源的故事》，这个取自陶渊明对理想社会寄望的故事，让所有的中国孩子都可以通过图画书阅读立刻进入故事的语境，带来的是既熟悉又陌生、既亲切又新奇的体验。这正是对于中国传统经典题材的创造性发掘和升华。我们不敢说自己的作品已经有了这样的高度，然确实也尽力向这样的目标靠近。

《社戏》、《百草园》与《三味书屋》都出自鲁迅先生原著，其精神实质一脉相承。如何贴切改变成适合儿童看的图画书，并尽可能贴近原著风格，对于创作者和编辑而言，都是极大的考验。我们希望，现在再来阅读，虽然绘画风格不同，成人读者会想起原著文本，而孩子们却能发现，《三味书屋》是学校生活，《百草园》是课余的嬉戏，《社戏》是假期中的一段旅程。

尽管鲁迅先生在创作的时候，字里行间有中年人回顾往事的苍凉之感，诉诸笔端的，却是一个个充满童年色彩的美好故事。我们打开这样的图画书，便可确定是一首首关于童年的歌，充满了儿童式的喜悦。

《从百草园到三味书屋》中，既有鲁迅先生儿童时代对自然的认知，有他童年生活的各种趣事，又表现了他对知识的渴求。我们根据其中场景的变换把原文改编成了两个脚本。《百草园》用季节的转换、各种动植物与捕鸟等生活趣事突出了童年生活的乐趣，《三味书屋》则重点展现了为现在孩子所陌生的私塾生活。

《社戏》里挖蚯蚓、放牛、钓虾、偷豆、吃豆，城市孩子与农村孩子度过的美好夏天，正是童年的场景。我们把这些回忆用分镜头的形式表达，希望能给阅读的孩子带来一点小小的欢乐，以及"还有这样的游戏"的一种惊叹。现在的儿童，尤其是都市里的儿童，生活已经迥然不同，但也仅仅只是形式的不同，生活的本质并没有变化。这正是深植于血脉中的文化基因，籍由这样的方式，一代代地传下去。

《背影》的内容相对沉重，但其中细腻含蓄的父子之情都能引起每个人共鸣。我们查阅了很多资料，力争能够用质朴的画面传达几乎存在于所有中国父子之间的情感。孩子们在阅读之后应该能对亲情有更深层次的理解。

《荷塘月色》的表达，不敢说完美，确也已经尽力。插画家何谦老师说自己对作品还不够满意，然而看着他画中踽踽独行的朱自清先生的背影，便有想要诵读出声的欲望——"一个人在这苍茫的月下，什么都可以想，什么都可以不想，便觉是个自由的人。"

当然，感到苦乐交织的，应当不止编辑，还有插画师吧。比如张弛，一张草稿往往画上四五次，相信改到后来自己恐怕也有些受不了。郭警和陈曦为了更好地画出小鲁迅，反复对照了鲁迅先生及其儿子的照片，还查阅了百草园和三味书屋的大量实景照片，研究了文章中出现的动植物，书中的场景和事物都是在实景与实物基础上的还原，希望能帮助孩子们更好地理解经典。而何谦老师的正稿与草稿已经有一些不一样的地方，这是创作过程中的不断修改，谢谢他的修正，这使得作品本身更加美好。

做这套书的快乐，不仅仅是创作本身的快乐，还有与经典重逢的快乐。年龄和阅历渐长，这些早年在语文课堂上被解构成段落大意和中心思想的文本，在重新阅读之时，通感被充分地调动起来，画面不是想象出来的，而是在阅读的过程中自然在脑海里闪现出来的。

作为双重的角色，脚本作者和编辑，很希望能够通过画面和文字来让人感受到拂面而来的风与土地的气息，有属于童年的欢乐，还有原著者本身的精神。当然，我们也只是在用自己的方式来解读，其中虽不乏沉淀、积累和思考，仍然也是带有内心感悟的投射和表达。

所以，更希望在孩子阅读的时候，父母也跟孩子一起读一读原著。由文字转换成图画的时候，我们也许未能完全表现出孩子心里读到文字所想的场景，作为家长，不妨鼓励孩子来画一画。或者，籍由这样的朗读和画画，孩子从此会真正爱上鲁迅，爱上文学也未可知。

●案例：《复兴之路》系列图书编辑手记

一次影像与文字完美结合之旅

文 / 赵卜慧

书海无边。人生一世，能够读上几本称得上有寓意有深度有品位的好书，实在是一件赏心悦目之雅事。摆在您面前的这套《大国崛起》姊妹篇《复兴之路》（中国民主法制出版社），无疑是我企盼已久的那种历史底蕴深厚、史料弥足珍贵并给人以启迪、引人以思索、发人以共鸣的好书。

还记得2006年的11月13日，中央电视台历时3年拍摄制作的12集大型历史纪录片《大国崛起》在央视经济频道首播，1个月内连续播映两次，仍不能满足广大观众的收视渴求。"大国崛起"，一时间成为人们热议的话题之一。而同步推出的一套8册《大国崛起》影视系列图书也悄然摆上了全国各地新华书店的书架，人们爱不释手，争相购阅。首印1万套，短短13天竟售罄。一套价格不菲的影视同期书，1个月卖了1.5万套12万册，11个月重印12次，累计印数突破10套80万册，这在出版界不能不说是一个奇迹。

作为参与丛书策划、编辑、出版全过程的亲身经历者之一，此套丛书的责任编辑，回味这部不同寻常的电视片和这套具有特殊魅力的图书，内心的感受依然是那般强烈。那段日子里，我们出版小团队为丛书的策划、编辑、出版、发行熬了多少个夜晚，多少个通宵，如今回想起来，或许，可以用现在最时髦的一句话来形容，那就是："痛，并快乐着！"

2007年3月22日，一个暖意融融的下午。瑞雪社长、林茂总编辑带着我们的编辑小团队来到中央电视台梅地亚新闻厅，与央视《大国崛起》总编导任学安、执行总编导周艳沟通交流，共同探讨电视纪录片《复兴之路》同名图书的出版规划。也就是从那一天、那一时刻起的半年多时间里，电视人和出版人为完成这次影像和文字完美结合的旅行，开始了穿越历史迷雾、丈量中华民族160多年来上下求索、梦翔世界过程的一次更为艰难的跋涉。

第五章 差异化制作

就在电视人呕心制作电视片的300多个日日夜夜，一套由电视人精心编撰、由出版人精心制作的系列图书也在紧锣密鼓地同步运作着。

《复兴之路》梳理了中国自1840年鸦片战争至今167年的历史，阐释了中国如何在国家危亡之际开始了民族觉醒，如何在民族救亡图存的探索之中选择了马克思主义和中国共产党，如何在社会主义建设过程中实现了改革开放的历史性突破，如何建立起社会主义市场经济体制，如何在新的历史时期提出科学发展观，建设富强、民主、文明、和谐的社会主义现代化国家。

作为一部中国版的"大国崛起"，作为与电视人和出版人就同一主题进行跨媒体立体式传播的又一次尝试的同名影视图书《复兴之路》，它不是电视片的简单翻录，也不是视觉语言的生硬平面化，它更注重的是电视语言静态内容与电视画面动态景物的巧妙结合。

全书围绕千年局变命运多舛、峥嵘岁月上下求索、中国新生铸造根基、伟大转折谱写光荣、世纪跨越梦翔世界、继往开来潮起东方六大主题线索，全景式追溯了中华民族160多年来的强国之梦和不懈探索的伟大历程。我们知道，167年来，影响中国历史发展进程的历史事件和见证历史发展、经历历史变迁的中华人物浩如烟海，如何透过这些历史事件和历史人物解读历史、理解历史，特别是从何种角度理性审视历史事件、重新观察并发掘历史人物，就显得更为至关重要。比如，改革开放初期，温州"八大王"因"投机倒把罪"而被捕后又得以平反的故事，是20世纪80年代初中国社会一个比较典型的个案，8个普通的中国人，他们的命运与国家发展的历程连在一起，他们的经历，反映了当年中国在摸索中创新的时代特征。全书正是运用大量真实而生动的历史事实，阐释了一个鲜明的主题：在中华民族伟大复兴的征程中，历史和人民选择了马克思主义，选择了中国共产党，选择了中国特色社会主义道路。

这是一首中华民族伟大复兴的交响史诗，这是一套浓缩民族复兴历程的影视图书，这是一套极具深厚历史底蕴和史料价值的影像资料纸质化的精粹集成，更是一套思想性、历史性、可读性俱佳的可收藏的精品图书。全书述事宏大，解读深刻，凸显了历史发展主体脉络，以翔实的历史资料、恢弘的结构篇章、深沉的叙述语言，辅以几百幅弥足珍贵的历史图片，为世人展示了全球视野下中国发展道路之抉择、民族复兴之画卷。

尤其是百余位国内外不同领域顶尖学者全方位的独家访谈，弥补了电视片时长的局限，透过他们对中国相关问题的思考、对历史细节的追述和对历史史实的阐释，让人能从中品读历史的镜鉴和对中国未来的深深思索。从中我们还会发现一个很有意思的现象，在研究和评说中国近现代历史方面，其实很多的研究结论在中外学术界都是相似的。

中国东方艺术泼墨插画，更突出了图书独创新格的艺术品质，有画坛"鬼才、奇才、雄才"之称谓的中国翰墨名家杨彦老师，激情为图书展纸挥毫、泼墨赐画，潜心于北京昌平深山创作半月有余，他那"北气南韵、古法新貌、体涉古今、意赅中西"的大写意泼墨（彩）画艺术实践与理论并重、技法与心法兼修，远观得势，近观得质，笔墨和色彩间流出的山水画写意真情，浑厚博大。这也正是图书独特魅力之所在。

"我是今生的水，你是前世的茶。用今生的水来泡一杯前世的茶，透明的瓷杯里沉淀的是前世的情，沸腾的是今生的爱。这味道，叫缘分。"聆听杨彦老师那段充满温馨意境和浪漫情怀的手机铃语，我的内心更为宁静，心境更为宽阔，胸臆更为豁达。静下心来，读上几本称得上有寓意有深度有品位的好书，实在是一件赏心悦目之雅事。我就是这样一个乐得痴迷的人，正所谓：得其书而读之，不亦悦乎！忍不住，诉与读者共享。

第五章 差异化制作

本小节实训项目 >>>

1983年,中央电视台第一届春节晚会亮相。到2013年,走过30年,而且,将由冯小刚担任导演。假设有某个出版社即将出版一本《春晚:我们还有多少期待?》,请你为本书撰写几句封面的宣传语。

第二节　目录搭建

一、好目录是成功的一半

目录是呈现全书结构、浓缩内容的平台。它的重要意义是不言而喻的。事实上，读者一旦对某本书发生兴趣，就会浏览目录。目录水准的高低、总的效果在很大程度上会影响读者持有该书的愿望。一般来说，目录若想吸引读者，就应该从形式和内容两方面着手。形式上达到了总体效果的美好，自然可以愉悦读者，这个道理十分浅显；内容方面，建议全面、丰富地展示本书的全貌。有的畅销书已经把目录做到十分丰富的程度，甚至在目录之下引入一两句话，概括（但不抽象），以引领读者的阅读。

如今的不少畅销书，是由策划编辑与作者根据市场需求共同打造出来的，因此，前期章节策划、目录搭建尤为重要。

什么样的目录，才是好目录呢？人们常用"提纲挈领"、"纲举目张"等词语来形容好目录的重要性。所谓"提纲挈领"、"纲举目张"，即策划编辑在作者开始正式写作前，对一本书的章节提出逻辑合理、层次清晰的框架建议。

一本书的目录决定着全书内容的写作和风格，也就是说，目录是"骨骼"，内容是"血肉"，只有骨骼支撑起的身躯才会立体、丰满、有生机。

因此，一个成功的目录，是一本书行销成功的一半。

二、目录设计 6 个思维

1. 一个原则

策划选题时，在没有现成稿件的情况下，可遵循"三步走"策略搭建目录：第一步，要把自己想象成一个设计师，理清整体思路，对想要的稿件做到"心中有蓝图"；第二步，要像一个建筑师一样能将"蓝图"转化为"梁柱"，拟定章节标题，确定展开思路；第三步，要做好一个"装修师"，对拟好的章节标题进一步修改润色，甚至仔细推敲字句，以使其看起来更加标致引人、读起来更加朗朗上口。

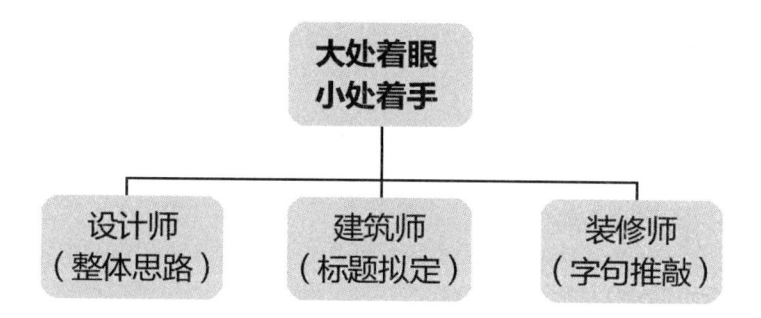

```
           大处着眼
           小处着手
        ┌─────┼─────┐
      设计师   建筑师   装修师
    （整体思路）（标题拟定）（字句推敲）
```

对已有的来稿，则要学会披沙拣金、提炼目录。初次审稿时，可对每个章节主要内容进行归纳总结，并边读边勾画出重点语句、精彩语句，然后提炼出来琢磨、修剪，最终确定目录大纲。

●案例：《活法》系列书，目录几乎都是对文中最精彩语句的提炼

……

第四章 以利他之心生活与工作

从托钵缘中看到人心的温暖

如果你有善心，地狱也会变成天堂

要让他人也有利可图

每天扪心自问开拓新事业的动机

只要动机良善，别怕损失尽管挺身而出

利润只是暂时托管物，不妨取之于社会用之于社会

难得的美德为什么失去了？

默默行善的人，神明不会弃之不顾

向大自然学习活法

从竞争转为共生的新文明

第五章　与宇宙相和谐

支配人生的两股巨大力量

掌握因果法则，扭转命运

别急着看结果，因果的账总有一天会结清

天意让宇宙万物生生不息

静静存在着的伟大力量

为灵魂的旅程做准备

灾难会把依附在灵魂上的业障带走

把心磨炼到只剩下真我

再微不足道的东西，都有造物主赋予的任务

图 5-7　《活法》

2. 两个关键

组织目录时，最棘手的环节莫过于如何处理好各章节间的逻辑层次。是先讲这节还是先讲那节？是把这两章合并讲还是拆开讲？

解决这种矛盾，除了反复研读正文内容外，还要抓住两个关键：一是上下级标题之间有逻辑性，下级标题上级标题直接展开；二是同级标题要把上级标题阐释全面，做到不交叉、不重叠。

3. 三个诀窍

为使目录既概括到位又"眉清目秀"，在拟定时可借用三个诀窍：

一是结合流行元素（畅销书名、名人、新闻事件、热电影、歌词歌名等）。如朗达·拜恩的《秘密》一书畅销后，很多图书目录就抓住这一关键词展开章节名设计，整齐有秩而吊人口味。长安出版社出版的《我最想要的处世说明书》，全书的五章就是围绕"秘密"展开的：生存的

秘密、工作的秘密、爱的秘密、心态的秘密、成功的秘密。

二是借鉴他山之石（直接引用名人名言、流行语录、广告词、宣传语等）。这些都是被媒体引用较多、多数人耳熟能详的语句，如能在目录中巧妙引用或者改用，都会为目录加分不少。

三是巧用百度搜索（在网络上输入关键词，查看相关信息，扩散思路）。如《脱稿讲话：领导干部接地气讲话艺术》一书目录的部分标题，就是在百度里搜索"脱稿"这一关键词后出现一些与领导人相关的新闻事件和案例后整理拟定的：

记忆力好，脱稿讲话，爱问问题（习近平）

在座谈会频发问，要求官员不要念稿回答（李克强）

典故、实例、数据信手拈来又恰到好处（张德江）

喜欢脱稿讲话，邀网友当面拍砖（俞正声）

说空话连野猪都骗不了（刘云山）

不准念发言稿，要学会深刻思考（王岐山）

印度总理辛格抛敏感话题李克强脱稿演说巧妙接招 凤凰网 2013-05-18 22:52:50
辛格抛敏感话题 李克强脱稿演说巧妙接招 李克强用英语幽默问印媒:照片会上头版吗 播放中 李克强用英语幽默问印媒:照片会上头版吗 李克强在印媒刊文《跨越... 百度快照

忆5次访美:脱稿讲话有感情 给留学生寄贺卡 中国青年网 2013-06-08 07:42:00
忆5次访美:脱稿讲话有感情 给留学生寄贺卡 欢迎订阅手机青年报,移动用户发送qnb到10658000;每天资费不到一角钱。http://www.youth.cn 2013-06-08 07:42:00 2条相同新闻 - 百度快照

4. 四个追求

好目录虽然没有一个固定的样本，但总是离不开四个追求：标题朗朗上口、凝练总结、说到点上、适合展开（为作者写作提供可操作性）。道理是不言自明的，一目了然的目录，总是会迅速夺得读者的青睐、倾心。说到点上，是基本要求；适合展开，是前提要件；朗朗上口、凝练总结，是目录出彩的必要条件。

如《担当》一书，目录的标题整齐押韵，而且巧用热点词和排比、借代、比喻等修辞手法，让人一看就想拍手称赞，内容的魅力自然也是

风华难掩了。

5. 五层境界

好的目录追求五层境界：① 概括主题思想；② 吸引读者眼球；③ 点燃阅读欲望；④ 引领流行时尚；⑤ 成为畅销书名。

如《你有多少问题要请示》这本书，每一章都围绕书名中的关键词"问题"展开，但每章标题和内容却毫不交叉重叠，而是"形"联"神"聚：前两章侧重心态分析，中间两章侧重思路点拨，最后两章侧重解决技巧。

例：

第一章 唯一需要恐惧的是恐惧问题本身

任何一个公司都有或多或少的问题存在

有问题不可怕，关键在于对待问题的态度和做法

在其位谋其政，有问题解决也是一种幸福

勇敢地接受麻烦，躲避问题不如挑战机会

不必恐惧工作中的问题，但要时刻提醒自己努力

第二章 不能解决问题，那企业请你来干什么

问一问自己："我能为公司做什么？"

为什么你总是认为领导在刁难你

主动发现问题并提出合理化建议

在老板遇到难题时挺身而出

别把问题留给老板，老板不是问题的解决者

问题到我为止，很多事不必别人督促

第三章 工作中的问题就是你发展的机会

公司的问题就是你加薪晋职的机会

自己的问题就是你迅速成长的机会

老板的问题就是你赢得信任的机会

同事的问题就是你建立人脉的机会

客户的问题就是你促进销售的机会

竞争对手的问题就是你变强的机会

产品的问题就是你发明创造的机会

第四章 借口多的人离问题最近，离成功最远

"我不想做"

"我尽力了"

"这不可能"

"没人帮我"

"薪水太少"

"没有指示"

"市场难做"

第五章 正确的方法能让问题迎刃而解

第六章 有责任心的人不为问题操心

三、目录案例剖析

1. 跟进类选题目录上的超越

西苑出版社出版的《小故事大道理》虽然在海潮出版社出版同名书之后好久才出版的，可竟然也卖得非常好。原因就是，海潮版的是铜版纸，封面固然很有特色，可是西苑版的封面用特种纸，而且做得很经典。更重要的是，标题写得得很巧妙，基本上都是一些畅销书的书名组合而成的，让人一种熟悉亲切的感觉，而且这些书名本来就是经过千锤百炼总结出来的，都是精华。因此，西苑版的《小故事大道理》这种"借力而行"让人着实佩服。

一个层次鲜明、错落有致，一个重复词多、单调划一，西苑出版社的这本书目录明显要好于海潮出版社的目录。

2. 切忌标题内容杂乱，主题不集中

这本是一本职场励志图书最初的部分目录，章节标题犯的一个大忌就是，什么都想说，结果什么也没说明白。

例：

第四章 基本功：低调做人，潜心做事

不要抬高自己

低调做人才能高调出位

暂隐锋芒，蓄势待发

收敛起你的优越感

该低头时就低头

摒弃"怀才不遇"的想法

切莫一味忍让

甘心做服务生

第五章 核心任务：做好自己的工作

爱工作等于爱自己

工作中无小事，小事决定成败

成功者找方法，失败者找借口

积极主动，不要听命行事

每一个细节都要做到位

做好自己的本职工作

勤奋工作就是在为自己谋福利

为使命而工作

讲究工作效能，职场不需要"愚公"

我能给单位带来什么？

以老板的心态对待公司

今日事今日毕，勿将今事待明日

第六章 职场必修课：冷静应对办公室政治

多做分析，化敌为友

要时时处处学会赞美

只依靠一棵大树

找到自己的支持力量

加强合作意识

学会进退原则

要做多面手

伴君如伴虎，如何与不同性格的上司相处

保持与同事之间的和谐相处，擦亮人脉

第七章 不可不参加的职场游戏：晋升

要比别人早准备

职场晋升的五个认识误区

关键因素催化成功晋升

把握原则，掌控职场晋升路

把握时机，让自己金光闪耀

做得多不如做得巧

一味抱怨——晋升的隐形杀手

解决问题——职场晋升的绿色通道

你的才华得让老板看到

职业女性晋升攻略

诊断分析：

① 此目录各级标题层次单调，缺乏变化。

② 内容太杂：什么都想说，什么都说不透。

③ 定位不清：是培训书还是职场书？是社科书还是文艺书？

④ 立场混乱：让读者不明白到底是为职场人说话还是为企业家说话。

3. 从"三变"入手，对失败目录"做手术"

如何对失败目录"做手术"？可从"三变"入手：变短、变瘦、变美，即压缩、提炼、美化。

如《抢占就业高地》最初的目录，"朴实"得像一则规章制度，说的也是老师、父母天天叮嘱唠叨的地方，看不出特别的卖点，一点也激发不起读者的阅读兴趣。第一次改后的目录，按照大1、大2……这样的顺序对章节进行了阶段性划分，并对每个阶段的成长定位与任务进行了区分，层次性、清晰性、实用性等都立即彰显了出来。第二次改后的最终目录，对篇章名进行了重新"包装"，去掉了"大1"、"大2"等这样的字眼，而代之以"重新选择"、"夯实基础"这样的词，不以年级定是非，让成长指导融入每一阶段，用语就更加科学、合理了。

例：原来的目录

一、职场开篇：在大学里完美职业人格

（一）入校第一步：了解与沟通

1. 编制入校生活指南，成为个人最有益的助手
2. 熟悉校园环境，爱上学校
3. 了解身边的同学及老师，让他们认识你
4. 展示个人特长，向组织靠近
5. 开放的心态，健康的思维与积极的行动
6. 和家人保持紧密的联系
7. 保持个人及宿舍卫生
8. 微笑是人间的天使

（二）关注兴趣与爱好

1. 和你的教室亲密接触，爱上书本
2. 培养专业兴趣
3. 良好有益的师生和同学关系
4. 和时间做个好朋友

（三）恋爱观、价值观、情趣观

（四）大学生校园生活成本表

（五）职场故事分享一：宝贝也要快点长大

二、职场缔造：用四年时间铸造职业能力宝剑

（一）一切都源自于精心的规划

（二）在亲情的关怀中快乐成长

（三）四年品牌价值的形成与打造

（四）大学生最适用的三张图

（五）职场故事分享二：学习也要有明确的方向

三、职场运筹：找准职业的发展通道

四、职场入道：掌握职业快速起跑的技巧

五、职场秘诀：升高职场温度，促进职业成长

六、职场保鲜：时时关注职业的健康状况

七、职场坐标：栽种好职业树、把握好职业期、做好九件事

第一次改后的目录：

大1：这是颠覆的一年

DIY《入校生活指南一本通》

想象不等于现实，消极不如接受

和时间做个好朋友

开放的心态、健康的思维与积极的行动

让同学喜欢你，让老师记住你

展示个人特长，向组织靠近

学会微笑，让你倍受欢迎

整洁卫生，方便自己方便他人

上了大学，也可以谈个恋爱

制定自我理财本

大2：这是积淀的一年

建立起良好有益的师生和同学关系

不要忘记与家人常联系

规划提升自我能力

打稳课业的基石

明确自己的兴趣方向

深造，从现在开始

在团体中为自己定位

职业规划与指导，是促进成功就业的有效手段

大3：这是筹谋的一年

大4：这是落实的一年

第二次修改后的最终目录：

第一章 学会选择，在起点处整装待发

001 细节无小事，从个人"史记"爱上大学

002 听听心声，培养和提升专业兴趣

003 惜时如金，拥抱时间等于拥抱机会

004 累加正能量：开放心态、健康思维、积极行动

005 让同学喜欢你，让老师记住你

006 勇敢走出去，你是最棒的！

007 学会微笑，让你魅力无穷

008 先扫一屋，再扫天下

009 树立正确的恋爱观、价值观和情趣观

010 自我理财一本通

第二章 夯实基础，在点滴中积累财富

011 构建融洽的关系网

012 可以远离家长，不要疏离家庭

013 有规划性、有针对性地学习

014 打稳课业的基石

015 享受你的兴趣

016 丰富你的品牌价值

017 深造，从现在开始

018 站好队，定好位

019 做好职业规划，提升就业几率

第三章 自我定位，在图纸上描绘未来

第四章 走入社会，在行动里感悟现实

第五章 职业规划，在路途中超越他人

可见，好的目录是经过不断修改、千锤百炼的，策划编辑平时必须用心学习、认真揣摩，与作者进行良好的沟通，精益求精，多次打磨，一定能为读者奉献上一份让人赏心悦目的好目录。

本小节实训项目

假设你策划了一个选题叫《人生要学会等待》,内容主要表达:"生命是一个漫长而又短暂的过程,这个过程充满了成功、幸福和欢乐,也包含着失败、痛苦和忧伤。我们要学会耐心等待,正确等待,在等待的过程中做有意义的准备。"现在需要列出本书的大纲目录。要求:一级标题至少有六章,前三章必须有至少每章5个小节的二级标题。

第三节 内容编排

一、编排前需要了解的一些注意事项

1. 计算出版物篇幅的单位：印张

（1）印张的概念：一个印张就是一张全张纸的一面，一张纸有两面，因此一张全张纸可印两个印张。

（2）印张的计算：印张数＝面数÷开数。

（3）无论是文前页码、正文页码还是文后页码，都不能以单页码结束，而要以偶数页码计算印张。计算印张要归到纸张的最小单位（4的倍数）页上。

（4）为省拼版费和装订费考虑，尽可能凑成一个整印张或半个印张。

2. 封面、扉页、版权页编校注意事项

（1）扉页要随着封面设计，并确保基本信息一致。书名、作者名、出版社名是扉页必备的三大基本信息，要和封面一致、准确无误。

（2）版权页上的基本出版信息也要和全书其他地方一致。

（3）封面、封底、书脊、腰封、前后勒口等的作者、书号、定价信息要和版权页上的信息前后统一。

3. 页码编排注意事项

（1）明码、暗码、空码的区分。暗码页面是有页码却不显示页码的页面，一般是篇章页背面或正文其他无任何图文排版的页面。空码页面则是不属于正文页面的空白页。

（2）单页起、另页起的区分。一般情况下，独立章节开始时，要单页起另排。而可能出现背题的情况下，则要另页起。

（3）顺码。要检查页码是不是有重复编排的现象，避免出现多页、漏页情况。

4. 目录与序言编排注意事项

（1）内文里改了标题，目录里也要改过来。

（2）内文里动了页码，目录里也要做更新。

（3）各级标题字体、字号区别，层次与美感。

（4）"目录"和"序言"英文是 contents 和 preface（不要写成 MULU，也别写成 content 或 contons，XUYAN 或 perface）。

5. 参考文献编排注意事项

正确格式：

［1］林少波. 毕业 5 年决定你的一生 [M]. 武汉：武汉出版社，2009.

错误格式：

［1］林少波著. 毕业 5 年决定你的一生 [M]. 武汉：武汉出版社，2009.

［1］林少波. 毕业 5 年决定你的一生 [M]. 武汉：武汉出版社，2009

［1］林少波.毕业5年决定你的一生[M].武汉:中国纺织版社,2011年.

［1］林少波. 毕业 5 年决定你的一生 [M]. 武汉：武汉出版社，2009 年 10 月

［1］林少波. 毕业 5 年决定你的一生 [M]. 湖北：武汉出版社，2009.

二、关于书稿编排的一些技巧

1. 三大流程

（1）电子稿。

收到电子稿后，要先整体通读，厘清内容、层次，对书稿做到心中有全貌，并和作者确认好版权问题。

（2）编校稿。

通读完电子稿后，就可以进入三审和编辑加工流程。三审要判断稿

件的政治性、思想性、科学性及出版价值，决定对其最后取舍，并对作者提出调整、完善的建议。加工整理是在审读的基础上从内容、文字、技术三方面对稿件进行全面细致的核改、整理。

（3）排版稿。

加工整理完的清样稿，就可以发排设计，并进入三校核红环节。审读排版稿时，除了要检查编校稿中发现的问题是否都已解决，还要发现、纠正排版设计后新出现的问题，如书眉、页码等的不一致，或者标题、段落格式等的错位。

2. 三大处理

（1）图表处理。

图表是对内容最直观、最明确的表现形式，在编辑校对过程中绝对不可忽视。要结合相关文字内容对照图表进行编校，注意表头的名称、数据是否和正文一致或相关。

一般来说，图表应具有自明性，即只要看图表及其说明，不阅读正文，就可以理解其意义。每一个图表都应编排序号，都要有简短而确切的图名或表名，图号和图名置于图的下方，表号和表名置于表的上方。曲线图的纵横坐标标注"量、标准规定符号、单位"，而表的各栏则应标明"量或测试项目、标准规定符号、单位"。有曲线图表现的数据，就不必再绘制表格了。

（2）英文、数字处理。

英文单词字母的大小写、标点符号以及一些应加强注意的问题：

① 标题中实义词的首字母要大写。如：Psychological Health、Future Career。

② 虚词（通常指较短的冠词、介词"a, the, in, at, to, of for"等）如在标题首，第一个字母应大写，不在标题首，则首字母不必大写。如：A Story for Valentine's Day。

③ 虚词是四个字母时，如介词"with"在标题中，首字母可大写，也可小写。如：A Way to Deal With Challenge。

④ 虚词是五个字母（含五个字母）以上的情况，即使不在标题，首首字母也应大写，如 Behind、Beyond 等词出现在标题时需大写。

⑤ 带有连字符的复合词，其中虚词小写，实义词的首字母都应大写。如：On Self-Assessment。

⑥ 英语短句作标题时，除了句首单词的第一个字母大写，其他单词无论实义词还是虚词均小写，句末带有标点符号。如：Who gets the money？

数字处理，主要是指阿拉伯数字与汉语数字的使用规范问题。

要求使用阿拉伯数字的情况：

① 公历世纪、年代、年、月、日。如：公元前8世纪、20世纪80年代、公元前440年、公元7年、1994年10月1日。

② 年份一般不用缩写。如1990年，不应简写成"九〇年"或"90年"。

③ 引文著录、行文注释、表格、索引、年表等，年月日的标记可按GB/T 7408—94的5.2.1.1中的扩展格式。如：1994年9月30日和1994年10月1日可分别写作1994-09-30和1994-10-01，仍读作1994年9月30日、1994年10月1日。年月日之间使用半字线"-"。当月和日是个位数时，在十位上加"0"。

④ 表具体时间的时、分、秒，前面要用阿拉伯数字。

⑤ 物理量。物理量量值必须用阿拉伯数字，并正确使用法定计量单位。如：8736.8km、600g、100kg～150kg。

⑥ 阿拉伯数字书写的多位整数和小数的分节。专业性科技出版物，从小数点起，向左和向右每三位数字一组，组间空四分之一个汉字的位置（二分之一个阿拉伯数字）的位置。如：2 748 456。

⑦ 一个用阿拉伯数字书写的数值应避免断开移行。阿拉伯数字书写的数值在表示数值的范围时，使用波浪式连接号"～"。如：150千米～200千米。

⑧ 统计表中的数值，如正负整数、小数、百分比、分数、比例等，必须使用阿拉伯数字。

要求使用汉字的情况：

① 中国干支纪年和夏历月日。如：腊月二十三日、正月初五、八月十五中秋节。

② 中国清代和清代以前的历史纪年、各民族的非公历纪年。可用阿拉伯数字括住公历年月。如：秦文公四十四年（公元前722年）。

③ 含有月日简称表示事件、节日和其他意义的词组。如果涉及一月、十一月、十二月，应用间隔号"·"将表示月和日的数字隔开。涉及其他月份时，可不用间隔号，是否使用引号，视事件的知名度而定。如："一·二八"事变、"一二·九"运动、七七事变、五四青年节。

④ 非物理量，一般应使用阿拉伯数字。如：270美元、290亿英镑、48岁、1480人。整数一至十，如果不是出现在具有统计意义的一组数字中，可以用汉字，但要和上下文局部体例保持一致。如：一个人、三条鱼、四种方法。

⑤ 定型的词、词组、成语、惯用语、缩略语或具有修辞色彩的词语中作为语素的数字，必须使用汉字。如：二倍体、三叶虫、二万五千里长征、四书五经、五四运动、九三学社。

⑥ 相邻的两个数字并列连用表示概数，必须使用汉字，连用的两个数字之间不得用顿号"、"隔开。如：二三米、一两个小时、四五十岁。

（3）深浅度、粗细处理

单色排版的书，要注意黑度和灰度的区分，把握好层次感。

双色或四色排版印刷的图书，要注意颜色深浅的把握，避免着墨太重而糊版或渗到纸张背面。

图框的线条，要粗细适当而均匀。

3. 三大规范

（1）字体、字号。

书刊排版中，同一层级标题的字体字号要一致；不同层级标题的字体、字号要在大小等形式方面有所区分。另外，扉页、版权页、目录、序言、注释、附录、后记等辅文的字体字号，也要和正文的字体字号有所区分。不同类的书，不同的读者定位，字体字号也要合情合规，如给儿童和老人阅读的书，字体字号就要稍微偏大些。要把握好这个区分度，就要平时熟记常用字体字号。

（2）标点符号错行。

句号、问号、叹号、逗号、顿号、分号、冒号等不能出现在行首；引号、括号、书名号等的前半部分不能出现在行末，后半部分不能出现在行首。在用排版软件排版时，可采用扩大或缩小字间距的方法来避免一些标点符号出现在不该出现的行末或行首。

如使用 AI 软件排版时，可在工具栏"段落"里找到"避头尾集"，然后选择"严格"，在"标点挤压集"里面选择"行尾挤压半角"，这样就可以避免一些独立使用的标点符号出现在行首。

（3）半角、全角。

排版时，要注意标点符号的格式是否一致，尤其是出现引文、英文、阿拉伯数字的地方。全角和半角，也可以说是中文输入状态和英文输入状态。

英文的输入输出都是半角的，标点符号比较细、实，一般占一个英文字符的位置；而中文输入法下一般是全角的，标点符号比较粗、大，一般占一个汉字字符的位置。书刊排版的中文正文，标点符号一般都是全角格式。但如果出现部分英文引文，英文间就要使用半角标点符号。最常见的是引号、问号、逗号等的全角、半角格式混用，在编校时要仔细辨认，确保规范统一。

4. 三大避免

（1）避免独字成行。

"单字不成行"，如果一行刚好只有一个字，要想办法排到上一行或者上行移一个字到下行。

（2）避免背题现象。

背题是指排在一面的末尾并且其后无正文相随的标题。排印规范中禁止背题出现，当出现背题时应该设法避免。比较简单的解决办法是在本页内加行、缩行或留下尾空而将标题移到下页。

（3）避免报刊说法。

"新闻是易碎品。"报刊用语的时效性和新闻体特征，使其在时间、称谓等方面都容易"时过境迁"，而图书的阅读周期则相对较长，因此要确保信息的具体性、准确性。

如引用中出现"去年"、"上个月"、"上世纪"这类依赖上下文语境的模糊时间词时，要改成具体时间，以免引起误解。又如引用中出现领导人的职位时，要核对其现任职位，看是否已发生变动。如果有变动，通过添加"时任"、"原任"等定语词，可以避免类似错误。

三、编排书稿的一些好态度和好习惯

1. 编排过程中应有的良好职业态度

（1）基本的差错，一定要改过来。编校是个细致活，错字、错词，一定不能放过。

（2）注意外国通用人名、地名的中文译法，要按照通用的标准来，尤其是要注意港台与大陆对同一名称的不同叫法。如以下几个例子：

彼得·杜拉克→彼得·德鲁克；

安德鲁·葛洛夫→安迪·格鲁夫；

欧普拉→奥普拉；

贾伯斯→乔布斯；

安德鲁·卡耐基和戴尔·卡耐基是两个人。

（3）审稿不只是纠正错别字，还要规范统一、润色提高。

（4）除了改正基本文字差错外，还要能对版式、字体字号等提出合理化建议。

2. 编排过程中应有的良好职业习惯

（1）使用三种颜色的笔。

（2）校对符号要写规范，字要写开，别堆在一起。

（3）不要每次写完字就顿个点。

（4）不把简单错误复杂化，不把复杂问题随意化。

（5）除了查改作者原稿中的差错，也要注意核对前一审流程中改正的地方。

（6）可改可不改的尽量不改，有疑问的地方一定要注意，特别是数字、英文单词和专业术语。

（7）遇到不懂的地方要借助权威的工具书或请教有经验的专业人士。

（8）利用网络查找信息，但不可全信网络，用好搜索功能。

4. 注意力时代编排方式的改变

快＝快餐食品、急于求成？

浅＝浅尝辄止、浅见薄识？

碎＝鸡零狗碎、支离破碎？

其实，快慢、深浅、全碎只是阅读习惯的区别，重要是读与不读。

在这个注意力时代，快节奏、浅思考、碎片化。这就需要我们改变思路，轻松阅读，点面融通，知识丰富，寓教于乐。

（1）模块化：少点满篇满页的指示，多点分节分段的提示。

信息膨胀，节奏加快，搜索式阅读、标题式阅读、跳跃式阅读、浏览式阅读更受青睐。

① 尽量多出现各层次的标题，不要好几页之内连一个标题都没有。

② 增加与主体内容相关的知识点，缓解读者的疲惫感。如《脱稿讲话：领导干部接地气讲话艺术》一书加了"技巧提示"、"典故链接"等模块化内容，以增加趣味性和知识性。

③ 尽量用短句、小段，避免5行以上的自然段。德国一位数学家计算出人类大脑处理信息的局限：160个英文字母，这是手机短信的标准。微博限制是140字。图书也可借鉴。

采用模块化编排，还有一个意义：读者可随时、及时抽取，容易帮你在微博和微信上传播。比如《到位：优秀的人都在践行的职业准则》一书的每小节都附加一个"微链接"，就是为了方便读者可直接拿去发微博。

（2）图片化：少点枯燥单调的文字，多点形式活泼的图示。

图书本身就不如网站、电视、手机等是全感官刺激，因此更需要在视觉上做出特点。

① 加入漫画、插图。这点相信很多人都想到了，但为什么没做？一是认为让成本增加，二是选题开发时没想到。其实，如果把稿费成本、编辑成本、制作成本最后加起来，图片形式成本可能会更少。

② 把数据做成表格、SMART 图。同样数据，直接用文字体现与做成表格或做成曲线图、饼形图，给人的感觉是不一样的。如《敬畏：领导干部要坚守的信仰底线》和《日子里的中国》把各种引用数据做成图示，非常有趣。

（3）故事化：少点长篇大论的说理，多点情境体验的互动。

真理永不过时，但让人接受的方式需要改变。这是一个讨厌说教、传教的时代，这是一个需要感动、需要互动的时代。如何把经验变成生动的语言？

① 把语言故事化。全球畅销书《谁动了我的奶酪》通过讲了两只小老鼠和两个小矮人的故事，生动阐述了"变是唯一的不变"这一生活真谛。

② 把故事情境化。《到位：优秀的人都在践行的职业准则》的作者，以职商教练和老板顾问的角色，通过讲述在现实中遇到的各种人与事，自然地把"到位"的理念贯彻其中。

③ 把情境体验化。营销三重境界：讯息、口碑、体验。让读者从"知"到"信"，从"信"到想去"试"或"用"。《不抱怨的世界》的"紫手环运动"，就是一种体验。

图书想畅销，要具备"两有"——有趣＋有用。以上"三化"，只是实现了"有趣"。真正要得到读者的

> **"三开论"**
> ① 开心——制造气氛，首先在情绪上感染大家，让人愉悦接受。
> ② 开眼——传播知识，让人觉得增长见识，扩大视野。
> ③ 开窍——引发共鸣，触及大家内心，让人想要进行体验。

肯定，还要在内容上实用化、可体验化、可操作化。

模块化，不是简单分割；图片化，不是不要文字；故事化，不是忽悠瞎编。形式的改变，更要注重内容的逻辑性。大道至简，越短、越浅、越碎，越考验能力。有干货，有硬货，才有底气，才不怕各种改变。

时代在变，最好的姿态是调整自己去适应，而不是坐而论道，批评这个不行那个不对。

北宋王安石变法，提出了著名的"三不足"论断："天变不足畏，祖宗不足法，人言不足恤。"勇敢的出版人，也要有这种精神，对图书的形式、内容进行各种探索。

总之，严格要求自己，不够好也是一种错——规范可以让工作结果更完美。审稿不只是校对有没有错别字这么简单——润色书稿也是一种任务。

一个优秀的编辑在编校过程中应追求的三种境界：

一是扫雷高手：火眼金睛。

能敏锐发现书稿中的错误，包括文字、图表、标点、排版、引文、书眉、批注等格式上的错误，尤其是不太明显的错误。要擅长校异同、校是非。这既需要认真求证、一丝不苟的职业态度，也需要扎实的专业知识、丰富的阅读积累和从业经验。

二是木匠心态：精雕细琢。

好编辑要能像木匠一样对文稿进行精雕细琢的加工，字斟句酌、反复打磨，无论是对文字、语句还是对篇章结构、目录版式均能提出合理的优化建议。一本漂亮的畅销书的出炉，离不开一位能工巧匠式的编辑。

三是完美主义：吹毛求疵。

我们在生活上要避免吹毛求疵的过分挑剔，但编辑对书稿质量的追求，应有这种敬业态度和追求。

本小节实训项目 >>>

思考：一本已有CIP数据的图书在二校时改了书名。请问全书包括封面，哪些地方要做相应修改？

第六章 立体化营销

在正式开始本章内容之前，先分享关于图书营销的几点体会。

1. 营销三个层次：产品→口碑→体验

（1）产品：告诉消费者你的产品信息：××出版社在××时间出版了一本×××写的叫《×××××》的书。

（2）口碑：在一定的人群中形成印象：《×××××》那本书我读了，不错，我推荐你也去读一读。

（3）体验：让消费者分享心得并践行：我照着《×××××》里的话和办法去做了，的确是有效果。

2. 营销对象三个定位：给书店看，给同行看，给读者看

（1）给书店看：海报、易拉宝等，让书店有信心，给图书一个更好的上架机会。

（2）给同行看：送样书、发微博，让同行捧个场，给图书一个获得评点的意见。

（3）给读者看：用你想得到的各种手段，无孔不入、见缝插针地病毒式告诉他。

3. 读者三种消费心理：喜不喜欢，需不需要，值不值得

（1）喜不喜欢：因为兴趣而购买。比如80后和90后的年轻人群体，追求个性，针对他们要做到"有趣"。

（2）需不需要：因为需求而购买。比如40岁以上的中年家庭妇女，精打细算，针对她们要做到"有用"。

（3）值不值得：因为匹配而购买。这种读者的购买行为很理性，会做各种性价比的衡量，从价格到质量。

4. 营销是一个持续过程，出版前充分预热，出版后持续加温

（1）营销推广的本质是说服。说服，从选题申报那天就开始了，说服领导、说服发行。

（2）名人的选题或者重量级选题，拥有不可替代性的选题，出版前就可以自信地推广。

（3）出版后持续升温可分为三个阶段：机关枪，狂轰烂炸→狙击枪，瞄准目标→手榴弹，集中进攻。

5. 出版前预热三种营销形式：包装营销，文本营销，组合营销

（1）包装营销：产品符号、色彩、用纸等基本的物质形态，品相是营销的基础。装帧设计和排版人员需要重视起来。

（2）文本营销：宣传文案、书名、目录等更理性的元素，这需要责任编辑和策划编辑精心打磨打造出吸引人的文案。

（3）组合营销：一本书的360度推广：报刊、电台、讲座、码堆、网络、手机……争取让这个弧度大一些。思维上可以扩散，与名人、与热点新闻、与衍生产品、与其他行业建立关联，捆绑营销。

6. 出版后加热三种营销形式：渠道营销，媒体营销，活动营销

（1）渠道营销就是发行要把货铺到位，与书店做好沟通，他们是面向市场的第一批营销对象。

（2）媒体营销就是结合图书的特点和读者群消费习惯，在传统媒体和新媒体上宣传本书信息。

（3）活动营销就是借助一些节日促销、满分减、折上折等，还有签售、讲座、采访继续扩散。

比较理想的推广"四动"是：话题互动→活动拉动→媒体推动→渠道联动。

7. 推广对销量的作用评估需要时间考验，用数据检验

（1）做一场签售可能短期直接拉动当天该书销量，但发了一篇媒体文章能带来具体多少销量则不好考量。或许当月销量是提高了，但是具体是什么原因影响了这个结果，我们可能只看到了或猜测到了表面。

（2）做任何事情，都有短期目的和长期目的。要考虑这次推广是为了短期拉动图书的销量，还是为了长线推动出版社的品牌。

（3）有一些推广是不能立竿见影的，要有耐心，可能三个月甚至半年后才见效果。

8. 营销一定要舍得花钱，砸钱、烧钱，最后赚大钱

（1）如果花了钱的推广可能打了水漂，那么不花钱的推广更可能没什么见效。

（2）不要怕推广宣传要花钱，关键是好钢用到刀刃上，花钱花对地方，花得值。

（3）重点图书一定要设立推广经费预算和审批制度。

第一节 基础性营销

这一节将包装营销、文本营销和话题营销三个板块划归为基础性营销，这三种营销方式是在任何一本图书上都可以有针对性采用的，属于营销的基础工作，也是编辑在营销工作中应当引起重视、不可忽略的环节。

一、包装营销

之所以把"包装营销"划为"基础营销"的框架内，是因为只要是纸质出版，就必然要经过封面设计、排版、印刷等工序，这个时候，编辑对这些环节的影响将直接决定这本书在读者面前的呈现形态。其实，从图书的制作环节开始，就已经涉及营销。可以说，图书以何种形式问世，是所有营销中的第一步，这一步走好了，将为这本书的后续营销推广奠定一个良好的基础。因此，图书的"包装营销"是编辑们必须重视的工作，可以说，"包装营销"是属于"前置营销元素"。

当一本书被摆放在书店中时，它实际就已经在给自己做营销了，尽管这种营销是相对被动的营销，是等着被选择、等着被挑出，但如果编辑掌握了包装营销的技巧，是可以达到在万千图书中吸引读者、引导读者购买行为的。相信常去书店的你往往会有这样的感觉：在茫茫书海中，总有那么一些书在吸引着你，让你在不知不觉中走向它、捧起它、翻阅它，它的很多元素好像不断地在鼓动你："我很不错，快来把我买走吧！"那么好，现在请闭上眼睛仔细回忆一下，你做的书具有了这种魔力吗？

关于图书营销，有一个"1秒2米3分钟"的观点：1秒，用书名吸引人；2米，用封面勾引人；3分钟，用文案牵引人。这也是一个读者在书店闲逛时从发现一本书、到翻阅一本书、再到最终购买一本书的一个完整流程。前面章节中已讲过书名的起法、文案的写法，本节侧重探讨包装营销的方法和技巧。

需要强调的是，这里所提到的"包装"是一种广义的包装，不仅仅限于图书的封面，它是指图书最终所呈现在读者面前的形态。这种给读者带来的最直观的视觉、触觉等全方位的感受，是图书封面的设计、内文的版式、开本的大小、正文的用纸、工艺的使用等各个组成要素综合作用的结果。所以，编辑要熟悉图书制作的全过程，并且要参与其中，像图书装帧中就有许多印刷上的技巧影响着图书的设计方案，比如用纸克重对装订效果的影响，用纸对图文色彩表现力的影响等。对于编辑而言，熟悉"包装营销"所涉及的内容以及需要注意的问题，就显得尤为重要。

1. 封面：抓住读者的前8秒

在当今琳琅满目的书海中，图书的封面起到了一个无声的推销员作用，它的好坏在一定程度上将会直接影响人们的购买欲。图形、色彩和文字是封面设计的三要素。设计者就是根据书的不同性质、用途和读者对象，把这三者有机的结合起来，从而表现出图书的丰富内涵，并以一种传递信息为目的和一种美感的形式呈现给读者。

目前的图书市场夸张些说就是"以貌取书"，读者进书店首先跃入眼帘的就是图书封面，根据《华尔街日报》的调查统计，书店的读者注视封面的平均时间只有8秒，而书店采购与批发商做采购决策的时间则会更短。虽然一本书的价值不是由封面决定的，但面对琳琅满目的图书品种，客户和读者在做信息筛选时的首要依据就是书名与封面设计。能让读者"一见钟情"的封面固然是最好的封面，但这种"艳遇"是可遇而不可求的。编辑可以努力做到的是读者在拿起书的 8 秒钟之内不要让他放下去，因此要有足够的信息吸引他往下翻。因此封面设计上要把卖点的文章做足，要把那些能激起人心灵深处的欲望和冲动的卖点最大限度地表现出来。能在封面展现的就不要做在封底，能展现在封底就不要做在勒口。

2. 封面颜色：让你的书在同类书中脱颖而出

"必须要让读者 5 米外就清晰地看见我们的书！北京图书大厦有几十万种书，很多书的封面素雅大方，你压根不能被看到，再好又能怎么样？！"这是读客图书有限公司的创始人董事长华楠阐述的营销理念。

据说，读客图书有限公司每本畅销书的诞生都会经历一番"超市大战"。他们花很多时间去书店和超市蹲点，研究读者选书的视线流程，然后围绕争夺读者视线来设计封面。

于是，西藏经幡的彩条出现在了《藏地密码》的书脊上。当《藏地密码》成列展示时，出现了一条藏彩条长龙，对读者形成了很强的视觉冲击。

《我们台湾这些年》则使用了航空信彩条、《全中国最穷的小伙子发财日记》使用了黄金闪烁彩条、"公务员读史"系列丛书从古代的官袍上找到一小条鲜艳条纹，非常引人注目。

再比如，读客在设计《官场笔记》的封面前，读客的十几名发行人员实地考察了全国几十个大卖场，把摆放官场小

图 6-1 《藏地密码》

说的台面用数码相机拍了个遍，回来做成幻灯片放给编辑看。编辑们全部看完后发现大部分官场小说都是红黑两色的，为了区别其他图书读客选择了黄色。

所以编辑要根据图书的分类，预估它在书店、卖场的具体摆放位置，它会和哪些书摆放在一起？而那些书的封面是什么样的风格？能否在封面上做出不同，用差异化来提高读者的关注度和吸引力？这是一个很好的方式，归根结底，就是千方百计让自己策划的图书在书店的陈列上自己"跳出来"，具有视觉冲击力，从而脱颖而出。

3. 封面元素：与书名建立联想的产品符号

这里所说的封面元素，主要是指封面上选用的图形符号是否更好地诠释了图书的内容，让读者看到封面的第一眼，脑中就已经对这本书的内容有了一个大体的感觉和印象。

封面上的各种元素是编辑为图书打造的文学符号和视觉符号，需要编辑去花心思辅助设计师做好封面的设计工作，而非写好文案后，甩给封面设计师后就不管不顾了。一定要想尽一切办法，帮助设计师提供最匹配的元素。毕竟最了解这本书的是编辑，而非设计师，而你所做的这一切都是为了让读者在书店中能够快速看见这本书，快速翻阅，快速购买。

4. 开本："异形"引人注目

图书开本的选择一般是由编辑来定，虽然图书开本通常并不直接影响读者的购买决策，但开本往往主导图书在卖场中的陈列方式和信息展示效果。现在卖场越造越大，品种越来越眼花缭乱，大开本相对来说就更引人注目。现在市场上图书开本也有越做越大的趋势了，近几年在文学、财经、少儿等门类中都出现了很多流行的大开本模式。这就好像茫茫人海中，高个儿更容易引人注目，这就是注意力经济。当然，开本也不完全是越大越好，开本的选择取决于内容及功能的需求。

因为图书的高与宽已经初步确定了书的规格。开本的宽窄可以表达不同的情绪。窄开本的书显得俏，宽的开本就有驰骋纵横之感，标准化的开本会显得四平八稳，异形的开本则会显得与众不同。所以，编辑最好根据书在内容上的需要并考虑纸张的使用来选择开本。

5. 目录和版式：浓缩全书精华

如果说读者在看到图书的前8秒，主要阅览的是书名、封面、开本、定价等要素的话，那么读者在随后的30秒主要是看目录和版式设计了。做好一个目录，就基本上能抓住读者了。目录不是简单的章节罗列，而是全书经脉，浓缩了全书的精华，目录里应该把图书卖点的文章做足，让读者一翻开就产生呼之欲出的购买欲望。比如《毕业5年决定你的一生》这本书，里面的目录每个章节和层级不仅对仗工整且合辙押韵，标题的构思非常精妙，让读者在翻阅目录时就有一种想要购买的冲动。

此外，一般读者在购买时不可能阅读太多的内容，此时精巧的版式设计一般可以直接或间接传达一种文本上的阅读快感，这是一种艺术的通感。高超的版式设计基于对内容精髓的准确把握，要因书而异。在这里只强调一点，就是在版式设计时，采用的元素一定要注意与图书的整体风格相一致、与主题相贴合。这样的版式将与图书相映成趣、相得益彰。

6. 书脊：小角落能做大文章

目前国内主要的图书销售卖场就是新华书店，即便是像西单图书大厦、深圳书城、凤凰国际书城这样的超级书城，营业面积也是有限的，每个新华书店的卖场中同时陈列着几十万种图书，绝大部分图书要上架销售，恐怕也仅仅能露出书脊部分了，而小书店进货品种、数量则更加有限，受店面所限，往往只有一至两本就不错了。

在这种情况下，此时的书脊就显得尤为重要了，所以在设计封面时，书脊上的书名也应该尽量醒目，一种是通过书名颜色和背景颜色的对比反差来突显书名，一种是将书名的字体、字号的变化来突出书名。书脊上的书名一般大一些比较好，但也不能大得离谱，以到书脊边沿2毫米为宜。任何元素搭配都是协调才好，都有一个"最佳"，不能完全从展示的角度定字号大小。

7. 勒口：不可忽视的一环

相对于封面上的其他部件，勒口显得比较低调，因为它总是藏在封面与内文之间的位置。但读者常常希望从这里获得整本书最为完整的文字介绍与信息传达。因为在读者看来，封面设计经常会夸张，腰封上的广告语往往有"吹嘘"之嫌，而勒口上的介绍文字一般会多一些，而且表述会更为客观。读者一般会仔细阅读勒口上的内容，并有相当多的人以此来决定是否购买此书。因此，编辑一定不要忽视勒口这个方寸之地。一些高超的编辑总是在勒口上做足文章，或介绍作者和其趣闻轶事，或是提供关于图书内容的评价，以便能够被读者理性地接受，并很快与读者的思辨系统建立融洽的联系。

8. 腰封：善用能提升宣传效果

尽管近年来出版界和读者对腰封泛滥颇有微辞，但必须承认，腰封的存在，仍有其合理性和必要性。腰封一般来说是广告语的载体，是一本书精华和亮点的体现，是读者和这本书初次交流的一个桥梁。从图书宣传的角度来说，强调腰封的重要性一点也不为过，因为图书自身的宣传能力是较弱的，所以要多借助电视、广播、网络、平媒等，才能宣传出去。而腰封作为自身可做的一种宣传方式，可以而且应该好好利用。

腰封的存在是一个两难。腰封的作用毋庸置疑是广告效用，现在有很多人抵制腰封的存在，但既然在出版的过程中有腰封这种事物的产生，自然有其不可忽视的作用。只是，在编辑过程中要考虑到读者的感观，在美观和用词上一再斟酌，不能一味地追求效益，而让腰封成为了滥俗的代名词。好的腰封是为封面加分的，滥俗的腰封只会让读者心生反感。

封面和腰封需要进行整体考虑。腰封主要呈现的是图书的亮点、卖点，通过几句简短有力的话语打动读者。一个好的腰封，不仅可以影响读者的购买心理，也能够提高图书的品质。但现在有的腰封为了吸引眼球，写了很多夸大的言辞，造成了读者对腰封不满。所以应该谨慎使用，非做不可的话，首先不要"虚假广告"，透支读者的信任度，其次要讲究设计感。

对于大多数读者来说，在实际的阅读过程中，腰封作为一个附件可能还是个累赘。如果需要腰封的话，应该和封面主体设计通盘考虑、协调统一，在设计元素的运用和色彩、材料的选用上跟封面主体能有相得益彰的效果。腰封既然属于设计的范畴，是形式的一部分，所以腰封一定要设计得巧和妙，弥补封面设计的不足。有些读者说腰封太麻烦，扔之可惜、留着碍手，这个可能跟设计有关。如果腰封设计得非常漂亮，和整本书的风格统一、和谐，达到收藏作用，那么腰封就不会有如此诟病了。

9. 工艺：搭配好了可以锦上添花

随着出版物种类的增多、细分的明显。读者的审美水平也越来越高，对图书的外观要求也越来越高。为应对这一发展，各出版机构和印刷厂也开始更加关注以何种装帧形态将作品呈现给读者，采用什么样的装帧方式为图书增光添彩。

封面工艺通常有覆膜、UV、起鼓、磨砂、烫金、磨切等工艺。

覆膜指的是以透明塑料薄膜通过热压覆贴到印刷品表面，形成一层薄膜，起到保护印品及增加印品光泽的作用。覆膜的优点是可以增加封面的耐磨性、耐折性、抗拉性、耐湿性，使封面更加平滑、光亮、耐水。

UV是让部分地方光亮，摸上去略有凸起，但看不出来凸起。UV主要是增加产品亮度，保护产品表面，其硬度高，耐腐蚀摩擦，不易出现划痕等。

烫金，亦作"烫印"，是将金属印版加热，施箔，在印刷品上压印出金色文字或图案。随着烫印箔及包装行业的飞速发展，电化铝烫金的应用越来越广泛。烫金可使图案清晰、美观，色彩鲜艳夺目，耐磨。烫金最典型的就是精装书硬壳上的金字。可以烫多种颜色，比如韩版流行小说经常烫蓝金。还有镭射金，有镭射折光效果。

磨砂印刷是在具有镜面光泽的承印物上印刷一层透明UV磨砂油墨，经UV固化而形成如毛玻璃状的粗糙表面，且多采用网印方式。由于这种印刷得到的图案很像金属腐蚀后的效果，具有特殊的粗糙感，故又称仿金属蚀刻印刷。

起鼓就是指用模切机制作让封面文字或图案凸起来的效果。

磨切就是像雕刻或者剪纸那样在纸面上做出造型。

了解以上几种封面工艺，接下来就是根据需要选择好所需工艺的问题了。虽然目前这些工艺进行组合已经变得流行，成为图书的销售利器，但在这里要提醒编辑们注意的是，只有在这些工艺具有针对性的适度组合的前提下，才能发挥画龙点睛的功效，渲染出一种氛围、情调和质感。反之，一味地将覆膜、UV、烫金、起鼓等工艺都堆砌在封面上，往往会适得其反，既达不到预期的效果，还增加了成本，造成负担，所以要谨慎选择。

10. 塑封：双刃剑在于如何用

近几年，塑封图书成为一种潮流。除了一些价格不菲的时尚类杂志，书店中也出现了越来越多的塑封包装的图书，比起几年前被塑封的书只占总量的三到四成，现在则几乎占到了六到七成。

拿起一本被塑封得密密实实的新书，除了能看见书的封面和封底信息，里面的图书内容就只能等"脱了外套"才能让读者一睹真容。图书之所以塑封主要基于以下几点原因：

（1）有的图书带光盘或者其他赠品，塑封可以防止丢失；有的图书是成套出售，塑封后方便很多。

（2）现在有些读者翻阅图书时只想着自己方便、畅快，以致书店新书被沾染油污、被随意勾画、折页乃至被偷偷撕损等现象时有发生，这些都导致图书受损严重，给出版者和经营者带来损失。如果塑封，则可以有效保护图书，方便渠道商退换，与原来未塑封时，图书在流通过程中所造成的磨损，塑封的成本完全可以忽略不计。

（3）现在图书市场的竞争越来越激烈，不少书全靠封面名家推荐或者腰封上的精彩看点来打动读者。如果不塑封，读者打开发现完全是"天花乱坠"，自然也就没有了购买欲望。

了解了以上三点原因，相信你对塑封有了一定认知。所以，塑封还是不塑封？如果你的图书符合第一点所说，最好是塑封；如果仅仅是居于第三点的话，短期来看，可能对单本书的销量有一定益处，但长远来看，会对图书品牌有一定的影响，因此，一定要慎重。

11. 纸张：决定图书品相的重要因素

在图书的整体设计中，编辑常常把注意力重点放在封面和版式的设计上，对图书用纸的注意也只限于纸的克重和大致的色度，忽略了图书用纸对图书整体风格和版式效果的影响，以及对图书内容和读者阅读心理的影响。

事实上，纸的类型、光泽度、质感、色度和吸墨性等因素，会直接影响到版式设计的效果。在四色印刷中，印刷用纸的作用愈加明显。以纯质纸和轻型纸为例，纯质纸的色泽柔和，光泽度好，质感较为细腻，印制过程中颜料的还原性较好；轻型纸的色泽柔和，光泽度低，质感较为粗糙，吸墨性强。相同的版式设计在印刷后产生的效果会有很大不同。纯质纸印刷后，颜色与设计样大体一致；轻型纸印刷后，颜色比原设计样的明亮度要低，颜色显得较旧。

因此，编辑在选题策划时，就要考虑到图书的印刷用纸。可以根据选题类型或选题内容选择用纸，使图书的印刷用纸和图书的整体风格保持协调。还是以纯质纸和轻型纸四色印刷为例，根据轻型纸印刷后颜色亮度低、颜色显得比较旧的特性，可以用作历史题材或以传统文化为主题的图书印刷用纸，以此提升内容的厚重感和沧桑感；如果是内容较为轻松的或时尚类选题，选用纯质纸四色印刷的效果要比轻型纸好，因为纯质纸的色泽柔和，光泽度好，质感较为细腻，印制过程中颜料的还原性较好，色彩比较亮丽，符合书的主题。

所以选择适合选题内容和整体设计风格的纸印刷图书，不仅是图书整体设计风格的组成和延续，而且是对图书内容进行的潜在的补充和提升。编辑在图书的整体设计中，需要对此加以重视。

12. 赠品：为图书增加附加价值的利器

顾名思义，赠品就是随图书一起捆绑销售的物品，比如《向下的青春 向上的奋斗》随书附赠的 20 元"亿部书城"读书卡，《内心强大是女人最好的优雅》随书附赠的精美卡包和书签。《超好看》里附赠的海报，《诛仙 6》与腾讯合作赠送的 QQ 秀，清华大学"魔法风暴"丛书赠送的迷你摄像头，《致我们终将逝去的青春》随书附赠的青春电影珍藏卡册、独家赠送的辛夷坞全彩青春记事本，等等，不一而足。

总之，无论送什么，这些赠品一定要让读者觉得很值得。而且赠品不一定非要越贵才好，但一定要送得巧妙，做得贴心，让读者觉得编辑有花心思去想去做，而且正是这本书的读者群觉得非常有用的东西，这样往往能够达到很好的效果。

以上探讨了包装营销的技巧和方法，看似上面的很多工作都是由其他岗位的专业人士在做，但最终的决定权恰恰是在编辑的手中，你的每一个选择，都会影响这本书最终呈现在读者面前的形态，继而影响读者的感受，间接决定这本书的销量。因此，作为编辑的你，学会利用好这些包装元素和细节，相信你负责的图书在进入书店时就已经立于不败之地了。

二、文本营销

其实，任何一本书在选题策划阶段，就必然在某些方面有可取之处才能通过选题，那么这些点也正是编辑在营销过程中需要将其放大的内容。我们这里所讲到的"文本营销"就是基于图书文本本身来说的，我们在这里大体分为三个部分：作者点、内容点、市场点。从这三个方面来分别论述编辑在营销当中需要抓住的一些环节和营销脉络。

1. 作者点

（1）作者的影响力。

作者在公众心目中的影响力是图书营销需要关注的要点之一。目前出版界最有影响力的青年作家非韩寒、郭敬明莫属。出版人路金波曾开玩笑说韩寒的书，哪怕没有一个字，他也能卖出十万册。这句玩笑话很好地诠释了作者的影响力对图书销售的影响，而出版者要做的就是利用好这个影响力。

作为出版人兼作者的郭敬明在图书营销过程中是将自身潜力挖掘

得最好。作为畅销书作家的他凭借自己的影响力创办了被誉为"青春文学第一刊"的《最小说》，据路金波估算："《最小说》一年至少卖出600万本，如果一本赚1块5，富豪榜上说他一年收入1300万元，那么至少900万元来自《最小说》，400万元来自于他自己的书。"他也因此一直雄踞中国作家富豪榜榜首。

上面举的是两个较为极端的例子，但是大部分作者并非绝对重量级的，但是依然有潜力可挖，如果作者在行业内知名度较高的话，依然可以借助他的行业影响力，在分众市场增加营销亮点。比如作者是培训师，那么他在培训时与书互动就是一个很好的形式。编辑要细心挖掘作者的影响力以及资源，借作者的势，以促进图书的推广和营销。

（2）作者的故事和传奇。

利用作者自身的身份和故事来卖书，这个作者一定非常有影响力，这就是所谓的明星出书。其实，各个领域的名人跨界出书热已经持续火热了很长一段时间，并且将继续持续下去。1995年赵忠祥以《岁月随想》开启了主持人出书的热潮。随后，倪萍的《日子》、水均益的《前沿故事》、白岩松的《痛并快乐着》、《幸福了吗？》，杨澜的《一问一世界》，均取得了百万册的销量。在影视明星及歌星方面，大S的《美容大王》，小S的《徐老师一分钟瘦身操》，宋丹丹的《幸福深处》，蔡康永的《蔡康永的说话之道》、《蔡康永的爱情短信》，孟非的《随遇而安》等也都销量火热。各行各业名人出书并且大卖的例子可谓举不胜举，但也有卖不动的例子。那么，出版者在营销过程中该如何把握呢？

一是抓住卖点。

拿克林顿来说吧，作为政治名人的影响不仅限于美国而且波及国际大势。他出版《我的生活》，卖点在于公众渴求了解众多政治内幕的好奇心以及更吸引人们眼球的话题——私生活、性丑闻、拉登。余秋雨的自传《借我一生》，便以"首度披露'文革'真相"为卖点。据有关媒体报道，该自传被冠以"记忆文学"的帽子，这对于以前的争论，是一波未平，一波又起，自然会成为读者关注的焦点。另一国内学者周国平，其自传《岁月与性情——我的心灵自传》也声称是作者自爆隐私、坦陈感情历程的一本书，不火才怪。至于马俊仁、吴冠中、吴祖光、郭德纲等，分别有了《温情马俊仁》、《我负丹青》、《一辈子》、《过得刚好》的书名，则各有各的卖点，公众自不会放过一睹为快的机会。

二是抓住读者的好奇心、窥探欲等心理因素。

对于普通读者来说，名人的生活始终会引起他们的关注，名人的绯闻逸事、生活隐私以及在光环笼罩下的生活的点点滴滴都会引起大众的好奇和窥探欲。无论抱着何种目的，是出于了解名人的人生、思想的成长史从而对自己有些许借鉴和启迪作用的动机也好，还是纯粹出于为了满足个人好奇心的娱乐目的也罢，只要抓住读者这个潜在的阅读心理，便会拥有良好的销售市场。

（3）作者获奖情况。

一个作家在自己的专业领域得奖，不仅仅是对自己专业工作的认可，更是自己著作热销的催化剂。

2012年，最火爆的新闻无疑是莫言获得了诺贝尔文学奖。这不但是中国当代文学的大事，也在出版、电商、证券等多个领域产生了影响。自获奖消息公布后，一些电子商务大佬都在微博上开始推广自己的图书频道。当当、亚马逊和京东等一些网站纷纷推出了莫言的专题页面，来推广莫言的图书,很多莫言的图书都打出了一定的折扣来吸引用户购买。淘宝的图书卖家也纷纷在莫言的书中加注了"诺贝尔文学奖获得者"来获得更多关注。各地的实体书店也都设置了莫言作品专柜，吸引了大量的购买者。在公布莫言得奖的几天时间里，各个销售渠道均卖到了断货的状态。一些实体店两天的销量相当于之前的一个月。获奖消息公布后，签约莫言的北京精典博维文化发展有限公司很快就出版了《莫言文集》，一下子热卖了。所以，奖项对于一个作者来说是很重要的，编辑要加以利用，不一定非得是诺贝尔奖，每年的各类奖项很多，只要是作者获得的，就是编辑可利用的营销点。

2. 内容点

（1）跟踪热点，选对题材。

不同的时期，读者喜欢的图书题材都会有所变化。如 2007 年天下霸唱的《鬼吹灯》主要内容是盗墓寻宝，是一部极为经典的悬疑盗墓小说，这部小说迅速成为了图书销售排行榜的榜首，也给整个图书行业带来了一股盗墓小说热。紧随其后，跟风出版的《盗墓笔记》等小说均获得了巨大的成功。2008 年，美国次贷危机爆发，引发了全球性金融危机，金融危机爆发后，影响到了普通老百姓的生活，因此很多百姓也关注起经济形势来，纷纷购买经济类图书。以前只有经济学界内部人士才看的书现在成了普通读者点名要买的书。金融危机类题材的图书如《货币战争》等接连大卖。2012 年，玛雅人世界末日的寓言又导致一大批有关末日的图书大卖。这些都说明，图书营销如果能紧跟热点，推销相应题材的图书，一定会取得不错的成绩。

需要注意的是，当某一题材的图书畅销时，往往会引来众多出版机构的跟风，这个时候营销一定要仔细调研，深入了解市场，进行差异化营销，使自己的图书在同类型图书中突显出不同来。如美国畅销书《金丝雀》其作者凯瑟琳看到在这次次贷危机的影响下，美国将有数万名高级金融职员失业，因为不少妻子都"押宝"在丈夫身上，这些妻子则成为了实实在在的"绝望主妇"。于是她写了此书描绘这些嫁给了金融银行家的"绝望主妇"，引起人们的兴趣成为畅销书。

（2）抓住图书内容特色。

图书宣传时，要对图书的书名、作者、字数、定价、书号、内容简介、读者对象、特色等内容进行介绍。其中最重要的是对图书内容特色的介绍，每一本图书都有自己的内容特色，编辑要抓住的就是本书在同类书中的创新点来进行营销。例如，热卖的经管类图书《给你一个团队，你能怎么管》内容简介是这样写的：

作者用他参与海外上市公司与国内民营企业管理的亲身经历，分享团队的建设与管理经验。他通过简洁有趣的描述、翔实动人的案例，为我们揭示管理的真相，告诉你应该如何建设和管理一个团队，内容富有系统性与针对性，简单易懂，容易上手，尖锐深刻。《给你一个团队，你能怎么管》的主要目的，就是解决这种普遍存在于各种组织中的"团队之惑"。书中的内容简洁易懂，有着非常清楚的定位，适合中国的中高层管理者学习参考，同时又具有很强的总结性，告诉你如何管理一个团队，如何突破自我，对于初创业者和有志于从事管理行业的人，提供了丰富的经验。

读者通过看这本书的简介，就知道这是一本实用性强，能够马上用于工作管理实践的书。

所以，编辑在图书的营销推广时，要抓住图书本身的内容点，不断地去强化图书的内容和特点，提炼核心卖点，让读者可以一目了然地知道这本书的内容是什么、优点是什么，从而选择购买。

3. 市场点

当前图书在销售时往往在封面上添加对该书的特色介绍，或者是名人推荐，或者是作者曾经出版图书的销售记录等，目的只有一个，就是期待其中一条能够引起读者注意。从目前来看，这样的图书营销方式是成功的。在图书营销中我们更需要充分利用这些内容。

（1）借力名人推荐和媒体推荐评论。

每个名人都有自己的粉丝，都有着各自的影响领域，如果能请来不同领域的名人来对图书进行推荐评论，这本书将在各个领域的受众中产生影响力。此外，读者都具有从众心理，当看到许多名人都说这本书好时，自己会有买回去读一读的心理。

例如，《食色男女》是当红主持人戴军2009年出版的一本小品文文集。内中涉及友情、亲情与爱情及关于两性话题的故事，为广大读者所深爱。在出版时就得到白岩松、刘仪伟、李静、杨澜、洪晃、海岩等人倾情推荐。推荐语如下：

白岩松："在诱惑的名利场中，戴军依然愿意用寂寞的文字来歌唱已很难得；还愿用心直面红尘中男女的困惑就更是难得！"

刘仪伟："很多人都喜欢讲道理给别人听。我愿意听戴军讲他的道理，男女之间的道理，深入浅出的道理，切实可行的道理，可以用来点缀生命的道理。戴军的书，值得好好体味。"

李静："戴军能教会男人如何用风趣跟柔情去打动女人，同时也用他的黑色幽默向女人出卖男人的心声，他支的招绝对靠谱，说他是两性话题的专家，我绝不跟他争。"

图 6-2 《食色男女》

杨澜："戴军对都市人的情感纠葛有着一份细致入微的观察与体悟。从中我还读出了一种悲悯，为那些在自欺与欺人中挣扎的男女。"

洪晃："戴军的情感教诲温柔贴心，中国虽然没有情感焦虑大嫂（agony aunt），有个大哥也行啊。"

海岩："戴军的文字温和、诚恳、幽默，这既是性情，又是功力。假想当年不做主持，仅靠文字为生，戴军或许一样成名成家。"

这些不同领域的名人、不同角度的推荐对图书的销售起到了不小的推动作用。

（2）借助图书相关记录的名气。

在图书营销时，我们要充分利用图书作者曾经的图书销售纪录、作品被改编成热播影视剧、图书原本是国外畅销书等这些图书相关产品的信息。如 2012 年，磨铁公司在对萧鼎《诛仙 2》进行营销时，就紧紧抓住《诛仙》的名气和销量做文章。《哈利·波特》在引进后也是紧紧抓住它在欧美的销售记录来进行宣传。再如辛夷坞的小说《致我们终将逝去的青春》改编成电影于2013年4月底上映后，票房不断地刷新纪录，出版社更是不断借势，充分利用电影的档期重新包装图书，进行图书宣传，取得了非常好的效果。

（3）巧借热门事件营销。

如果图书中的某一点能够与当前的事件结合，也可以借势扩大影响。例如，人民文学出版社曾出版的关于和平时期军事演习的小说《突出重围》，当时的卖点是"年轻军旅作家的长篇巨作"，由于与老百姓关联不大，反响平平。不久就发生了美军轰炸我国驻南联盟使馆事件，出版社利用事件激起的民族主义和爱国主义情绪，向38军赠书并与北京大学的学生座谈，通过媒体的宣传，把一本"死书"做"活"了，该小说后来还被拍成了电视剧。

总之，在进行文本营销时，一定要注意抓住图书的卖点，这个卖点可以是作者本身、可以是作品本身，还可以是作品的相关衍生品。只要抓住这个卖点，就一定能取得图书营销的成功。

三、话题营销

在图书营销中，针对一个热点话题进行炒作，往往可以在很大程度上促进图书的销售。

话题营销是基于公众感兴趣或潜在的话题点，进行话题的引爆、炒作和扩散，最终依托话题实现知名度和美誉度的提升。具体而言，主要是运用媒体的力量以及读者的口碑，使图书成为读者热议的话题，以达到推广图书的目的。

在出版界，每当新书出版，为一本书找一个或者几个话题做营销。话题找得好，可以引起很大的反响，因而收获巨大。营销者应该清醒地认识到，图书的内容这个强有力的支持才是获得持续销售业绩增长的保障。围绕内容做营销也易于操作，方法也简单，投入回报比率也较高。

业内有的编辑坦言，这种方式所带来的营销效益是传统方式的3到5倍。

话题营销除了可以对读者购买行为起作用之外，在搜索引擎优化、增加网站流量、建立品牌认知度方面也有不小的作用。

1. 什么话题才是适合炒作的？

话题存在于以一本图书为核心的方方面面，既可以从图书本身，比如主题、内容、作者中，也可以从图书的外延范围，比如图书的适读群体、关联产业开发、衍生出的争议与时下热点话题的联系等角度思考和提炼。一个好的话题应该有以下几个特点：

（1）具有一定的独特性或者首创性。

图书营销寻找话题，也就是寻找卖点。换句话来说，就是发掘出与同类图书不同的、独特的、别具一格的东西。这种话题，最好能够找到概念，成为符号化标志。

人民文学出版社出版的王树增的长篇小说《长征》，适逢纪念红军长征胜利70周年，媒体的各个版面也都在这一时段进行专门的报道，应该说大环境是相当不错的，但是市场上关于长征的图书的数量非常多，如何从中脱颖而出？该社确定了"全球化认知高度，全景式客观再现"的一个视点较高的宣传主题，从其既有宏大叙事又有细节再现的厚重文本，以及作者创作的功力找话题，并围绕着这些话题做了很多很细致的案头工作。

他们从文本中整理出了几个文件，包括《长征焦点》、《长征问答》、《作者创作谈》。例如从军事上讲，国民党数十万大军为什么就是堵截不住几万甚至几千红军；在长征途中，有三个红军部队的番号神秘消失了是怎么回事……一些焦点问题。这个主题比较鲜明的文件包发给媒体，媒体会根据自己不同的选题需求来宣传这本书，几乎采访过的媒体都是拿出大的版面将其作为重点选题来做。

（2）图书营销一定要以内容为王。

营销活动不管以何种方式展开，如果脱离了内容这个实质性的东西，营销活动做得再好、资金投入再多、声势如何浩大，都无法达到图书销售业绩和利润的增长，最终有可能是一场眩目过后的亏损。所以，一切的营销，都要以图书内容为核心，围绕内容进行推广。

（3）以让读者能接受且有话可谈论为标准。

一个话题，如果不能让读者产生共鸣，也就没有了让话题步步升温的可能，因而也就失去了话题原有的意义。

（4）作者也是营销活动的主要因素之一。

作者的个性特点也可以是极好的话题。营销者应充分考察作者在性别、体貌、人格、性格等方面有没有可供宣传的独特之处，加以包装作为推广图书的手段。

在一些营销活动中，还有一个有趣的现象，就是包装外貌较好的年轻男性作者在销售和宣传上要比女性容易一些，效果上也有很大的差异。

另外，通过长期跟踪一些终端零售店，发现女性读者的实际购买需求要远大于男性读者，这也从一个侧面表明年轻男性作者的目标对象定位于女性读者，从找寻最大的读者群以达到最大的效果上，包装年轻男性作者更易于成功一些。如韩寒、郭敬明的包装成功在很大程度上就包含以上潜在的因素。

如果同一个营销人员用同样的方法进行作者营销，会发现效果会有很大的差异，这是作者个人本身素质决定的现象，营销人员可以从中找出话题做突破口，展开宣传。

找话题实际上是很不容易的事情，因为同一个时期或历史上出版过的图书或新品种层出不穷，而方法和手段又不可能千变万化，基本上仅仅只能局限于有限的几种方式。

现在的情况是，要找新的东西越来越难了。如果不能领导潮流，走在流行的前面，跟随做选题会同时被众多的跟随者做着相似的东西淹没掉。如果陷入这样的状况，就无从下手找出使人感兴趣的话题了。

那么，将设置好的话题推向媒体和大众，营销人员是否就完成了工作呢？答案是否定的。在目前出版界，由于品种繁多，新书的最佳营销时期是上架后的半年，短的只有一两个月时间。这样的情况下，营销人员的压力是非常大的，要充分利用这一段时间，用智力和行动去引起读者的关注，尽可能地保持和维持图书的上架周期。那么，具体而言如何炒作呢？

2. 找到理想的话题后如何炒作？

有了好的话题，再进行适时的引导宣传，好的内容会自动传播，这是出版界一种随处可见的现象。好的营销人就像个故事大王，能不断向媒体和公众提供话题，引发讨论。

一般来讲，一个好的营销策划，应该是把"某某新书出版"这样的书讯转化为一个社会化、甚至大众化事件，吸引媒体和受众，通过众人的关注、转发、发酵，像滚雪球一样越滚越大，这样才能收到良好的效果。

图书策划人魏童把话题成功与否的标准设计为三个方面：一是要有一定的媒体曝光率，二是要有记者和读者打电话问其人其事，三是要有书店的反馈，比如读者来问这本书了，或者这本书最近的动销情况比较好。最佳的情况是，在策划人抛出一些话题后，社会上能引出更多的话题，策划人只需稍加引导，便可形成真正的销售。

具体的操作，可以包括以下几个步骤：

（1）充分了解图书内容和各种背景，做好功课，寻找差异点。

任何一本好书，能够通过出版，必然有其独到的闪光点。而在我们现实的操作中，大众类的图书关注者众多，话题的提出更为容易。比如传记类书，相对一些学术图书和专业图书，就更加容易受到大众媒体关注。话题的筹划、选择最好在选题阶段就有通盘的考虑，最重要的还是要对具体图书的内容有较为清晰的提炼，敏感地捕捉到其中的闪光点。

图书的内容这个强有力的支持才是获得持续销售业绩增长的保障。围绕内容做营销也易于操作，方法也简单，投入回报比率也较高。要想从图书内容中找话题，要做好充分的准备，广泛收集图书的各种背景。

如何寻找差异点：① 了解作者背景、创作的想法和写作的背景；② 阅读书的文本，发现含金量；③ 到书店去，把同类书中销售量排在前面的书找出来，有针对性地比较，到底什么促使它好卖，包括装帧、价格等；④关注目标读者群和相关媒体近期对此类书的哪些话题比较感兴趣。

世界知识出版社出版的《为了世界更美好——江泽民出访纪实》一书，内容涉及我国高层领导人为开创中国外交局面作出的不懈努力，受到国家相关部门高度重视，对该书的宣传也提出了一些要求。因此该社对该书的营销计划保持严肃不张扬的态度，使该书形成一定神秘感，在渠道和读者中有了一定的话题。

图6-3 《为了世界更美好》

（2）寻找图书内容与社会现象和热点的契合或不同。

一本书的内容如果与时代和人们当下现实心态有某种意识上的融合，或者对原有观念有不同，那么，就可以从中寻找到一些话题。

比如反映爱情、友情、亲情的这类图书，主旨是人类社会的基本情感，话题是有，但出彩很难，因为人们对这些情感都有自己的理解，已经形成定式思维，不过还是有些书脱颖而出。比如《双面胶》、《中国式离婚》和后续篇《新结婚时代》，这些书关注了在目前深刻社会变革的社会状态下，作为社会组成单元的家庭到底在发生什么深刻变化？这便容易形成社会话题。再比如《省委书记》一书发行时，与当时人们关心的反腐话题联系在一起，也由此形成话题。世界知识出版社的《一个人的振兴——直面普京》一书，出版上市正值中国代表团出访俄罗斯，出版社通过工作，让出访团人手一册。与新闻事件结合，这也是出版社寻找话题的机会。专业类图书也不例外，当然，关注的是一些专业方面的热点话题。以计算机专业图书为例，最容易找话题的角度便是技术热点。

（3）寻找图书的关联市场，扩大和寻找潜在客户群。

不同行业或消费群体的互补市场，可以扩大产品销售的有效范围，并刺激潜在客户转化成实际客户。图书营销人也可以通过有意识地把不同行业的目标客户群体拿来与自己的相比较，看能否找到交叉的范围，提出话题。

关联营销目前在图书出版界使用也是比较多的，一般显而易见的是影视同步类的图书出版，把影视市场和图书市场两个目标定位不同的消费群体关联起来，这是达到共同促进、整合交叉的市场范围，刺激潜在的群体提升消费欲望和动机达到实际购买的有效手段。这类图书市场上已经出现很多，比如很多图书上市时希望和相关电影或连续剧联系起来。

（4）通过比较，寻找或者设置争议。

这种方法实际上利用了读者的逆反心理和强烈的好奇心。《狼图腾》就是一个典型的争议营销案例，在这本书推销的初期，一些网络论坛上就出现了针对该书的内容而发表的抨击文章，这些文章中又出现了某位学者名义的撰稿，从而引发了舆论和读者的强烈关注，随之而来又出现了不少署名或匿名的批评文章和新闻媒体的加入，进一步刺激读者的好奇欲望，从而引发了实际购买。

争议的话题在宣传走势的把握上很难掌控，有时会导致不利的影响，在开展此类营销时一定要充分了解图书的内容并把握宣传尺度。争议实际上也是内容营销的分支组成部分，争议毕竟是围绕图书的内容展开的，独立出来是因为这种方法独特，处理得当会获得比通常方法更好的效果。

另外，在现在的图书行业，可以将新出书或者新作者与有一定知名度的书或作者"靠"，比如"某书可与某书媲美"，"某书 PK 某书"等。这样做可能会有不同声音，但是可以故意借此制造一些话题，不过这种方法在宣传走势的把握上很难掌控，有时会导致不利的影响，在开展此类营销时要充分了解图书的内容并把握宣传尺度。

2005 年，人民文学社拟推出杨志军的长篇小说《藏獒》。当时编辑读完这本书给出了"石破天惊的痛快淋漓之作"的评价。但是如何让读者注意到这部作品，让其读进去还是要下一番工夫的。此时市场上正有一本大热的小说《狼图腾》，该社便确定了"狼獒 PK"的宣传战略，扉页上就打上了"当人们总想把自己变成狼时，人性莫非只好让狗替我们珍惜？"。围绕"狼之后，獒来了"、"狼性"与"獒性"之争提出话题，将其从单纯的小说扩大到文化争论的范围，围绕这点做了很多很细致的工作。比如各种论坛的观点交锋，请马俊仁等名人来谈藏獒、谈獒性，这场争论果然让很多媒体、书店、读者都注意到了这本新书，书店开始将《藏獒》和《狼图腾》摆在了一起。事实证明，在完成其开始阶段的"广为关注"的成功宣传之后，这本书的确靠着自己的文本力量成为一本畅销书。

通常来说，话题产生后，不论是正面还是反面作用，已完成了第一个目标——引起关注。话题选择合适到位能够增加图书曝光率，从而提升图书的销售，话

图 6-4 《藏獒》

题如果设置不当或者运作不当或者遭遇负面新闻，会引起读者反感，让图书的销售与预期出现偏差。因此，在具体实施中，我们还应当关注话题的负面影响，并对此有心理准备和应急预案。

华文出版社推出过一本《我把青春献给谁》，作者是章子怡在《夜宴》里的裸体替身邵小珊。她因为"裸替"索要署名权而引发了一些争议，这件事在网络、报纸等媒体上炒得很大。邵小珊在她的书里揭露了当下演艺圈的一些潜规则，同时也提出目前的一些社会问题。"裸替"这样的现象其实在各行业都会有，具有比较好的话题性。该社就针对现在《夜宴》正在热映、"裸替"话题不断的时候推出了《我把青春献给谁》。

经过几周时间，出版社发现，有关作者的一些话题在媒体和网络上

面热度很高，但该书发货和销售与其在社会上的热度并不相当。除了盗版造成了严重影响外，有人发现这本书在社会上的话题热点与当初设定的话题有所偏差。作者的特殊身份"裸替"这一点很热，但该书作为反对"替身无名"这一潜规则的话题关注有限。有营销人指出，媒体的关注角度和记者本身的关注习惯都会对话题的传播产生影响。这种偏差是话题的正反面效果的一种表现。

当然，任何营销都需要资金和出版机构整体运作能力作为保证，才能顺利完成。同一个项目在不同的出版机构做，其结果是不同的，这就是执行过程中的差异，这也是非常重要的因素。对运作话题的编辑和营销者而言，每次经历是极具个性的，也会得到不同的收获。

第六章 立体化营销

本小节实训项目 »»

从文本营销和话题营销角度,针对《致我们终将逝去的青春》一书,提出你对此书的营销建议。(作者:辛夷坞;出版社:百花洲文艺出版社;出版时间:2013年5月)

第二节 全方位营销

全方位营销是图书营销的关键性环节，很大程度上决定了一本图书的销量和前景。在全方位营销中，营销方式可谓是"八仙过海，各显神通"。本节将从平面媒体、网络平台、广电媒体三种营销媒介上展开论述，使读者了解并掌握图书营销最常采用的方式和手段。

一、平面媒体打通

通常，我们把报纸、杂志等传统媒体称为"平面媒体"。相对于电视、互联网等媒体通过视觉、听觉等多维度的传递信息，平面媒体只能通过单一的视觉、单一的维度传递信息，现在正面临着来自网络媒体的强大挑战，但作为传统媒体，它仍然拥有庞大的读者群，而这部分读者群往往都有读书的习惯，因此抓住这部分读者，等于抓住了潜在的图书消费者。

平面媒体曾经是图书营销的主要渠道，在报纸杂志上主要通过发布书评书讯、连载的形式，虽然它们的读者在日益减少，但是作为图书营销的一种传统形式，充分利用将会有意想不到的效果。以下是在平面媒体上常见的几种图书营销方式。

1. 出版前可选部分章节在平面媒体上连载

图书在未出版前可先在平面媒体上连载，以保证图书持续出现在读者眼中，保持持续的热度，等图书正式出版后停止连载，读者的兴趣已经被提起来了，为了读完后续部分，自然会购买图书。如韩寒2004年出版的小说《长安乱》就是先在《萌芽》杂志上连载的，不少读者都是通过这个途径了解并持续关注这本书的。2004年该书一出版就畅销160

多万册，排在当年的全国图书排行榜文学类畅销书第一名。

对很多没有名气的作者的作品来说，选择一个合适的平面媒体进行连载是读者了解图书内容的主要途径之一。特别是一些经济管理类的图书，受众比较窄，只有在经济管理相关报刊、杂志上连载才能取得好的效果。因此，编辑要注意选好连载的适合报刊。

2. 出版后在平面媒体上发布书评、书讯

书评、书讯在图书营销中具有以下三个作用：① 通报书情，广而告之。既向社会通报了书情，又对广大读者传播了图书信息。② 引导消费，扩大影响。不只是对图书的检阅，其根本目的在于引导读者合理适时消费，扩大图书影响覆盖面，诱发读者的购书欲望，增加市场销售份额。③ 弥补发布会、签售等活动的"一次性"效应，是沟通出版者与读者关系的重要桥梁。

对于编辑来说，请一个合适的人来写一个合适的书评，把自己图书的内容完美地呈现给读者，无疑对图书销售有巨大的刺激作用。一本书，是不是得到宣传和评论，其社会效果是大不一样的。比如,《第三次浪潮》、《大趋势》等谈论新技术革命及其社会影响的书籍，开始并未受到人们的重视，书店征订数很低，经过报刊评论，这些图书才受到了千千万万读者的关注。有条件的话，编辑应该邀请相关专家写新书的书评，这样更能引起读者的关注。

3. 在平面媒体上发布广告

书要卖得好，就得做广告——现在这已经成为书业界的共识，在图书内容质量优秀的基础上，配合以适当到位的宣传，可以让好书"走"得更远。如上海文艺出版总社出版的《话说中国》这样一部以中国历史为主题的厚重巨制，总定价近千元，单册定价60多元的高码洋丛书，出版后一年畅销16万册。该书借助于上海文艺出版总社旗下的《故事会》等多家媒体的宣传广告支持，使得很快就有2000位读者预付书款购买整套丛书。下面我们来了解一下发达国家的书商如何利用平面媒体发布广告。

英国出版商在为图书进行广告宣传时遵循两个原则：一是很少在社会媒体上投放广告，而是通过各种活动来吸引媒体的注意，通过相关报道来推广图书；二是将广告做在《书商》杂志等专业媒体上，将新书信息及时传达到分销商和书店进货人员那里去。

首先，《书商》杂志每期都会刊登分类书目、分类的畅销书排行榜，在此基础上还有对于重点新书比较详细的介绍。其次，杂志每年会有两个大的增刊，在增刊中将半年内出版社将要推出的所有新书刊登书目。再次，杂志还有一些临时性增刊，比如针对夏日沙滩读物、园艺、烹调、宗教图书销售而出的增刊，其中有分类书目、出版社重点图书介绍、分类畅销书排行榜以及带有事件性的某一类图书的出版报道。总之，英国专业媒体上的广告在时间上切得很细，在类别上也分得很细，同时类别中的层次也分得很细，这样就可以最大限度地将图书信息传达到分销商和零售商那里。

日本各出版社约以年度营业总额的5%用于图书广告宣传。首先，出版社以出版物自身为媒介，每出版一种图书，其后页均付印有同类书目，同时在书中夹带有印制精美的书目情报宣传卡、出版社直销预订卡和读者阅读反馈卡。其次，部分出版社定期发行自家新书广告宣传刊物。再次，报纸、杂志、广播和电视四大宣传媒体中，报纸始终作为图书广告最主要的载体。日本全国性早报如《读卖新闻》、《朝日新闻》和《每日新闻》等1~6版面广告栏目，几乎被出版物广告一统天下。

在美国，每家出版社都有自己安排广告拨款的办法，但是最基本的规律是广告费用不能超过净销售收入的10%（计算方法是：标价减去44%~46%的折扣，乘以印数，再乘10%）。显然，这个百分比是平均的，实际上有些书除了印制出版目录外其实根本不用宣传；有些书为了将来成为畅销书，启动时的宣传投入就要超过首轮销售收入的四分之一或更多。

所有书的广告预算都要以货币数量的形式写清楚。如遇通货膨胀，所有媒体的广告价格都会每年上涨，平均为6%，如果不增加投入就不能有效推出新书。通常出版社要花掉整个宣传资金的30%~40%在行业媒体上。出版社将所有即将上市的书告知业内人士，特别是发行商，并指出哪些为重点图书是非常重要的。

一般说来，在《纽约时报》、《出版商周刊》和图书馆行业杂志上刊登的图书广告比较多。综合性读物的广告大多刊登在《纽约时报》上。该报是美国第一大报，拥有最广泛的读者群。《出版商周刊》的读者主要是出版商和发行商，他们了解了新书出版情况，必然促进新书的销售。另外，出版社（特别是学术出版社）还根据某种书的专业特点，选择有关专业杂志刊登广告。

美国的出版商做广告的5W原则：

（1）采取何种方式进行广告宣传（what）

美国图书广告宣传方式花样很多，最基本的有在报章、杂志上刊登广告；请名家撰写书评；定期将本社最新书目清单有针对性地寄给读者；安排作者巡回演讲、参加各种活动、签名售书；推销员上门直销，宣传、介绍、推销各类图书等。

（2）如何将内容介绍浓缩为广告宣传语（how）

出版商首先请作者就自己及所写新书写个较为详细的介绍。内容主要有：自己的简历，过去著述情况，该书简要内容，该书与其他同类书比较有何特色等。然后结合书中的精彩内容及书评家给予该书作者及内容的评价，精心挑选，组成五个段落的文字。这五个段落一般列出下述内容：① 第一段列出该书最有代表性的段落文字，特点鲜明，引人注目；② 第二段为该书基本情况；③ 第三段为该书内容概述；④ 第四段指出该书的特色所在；⑤ 第五段介绍作者简历和著述情况。上述五个段落的文字介绍挑选出来之后，编辑再将其浓缩为言简意赅的50个词左右的简介，然后再进一步提炼，拟出语言精炼而又能充分反映该书特色的一句话，即广告语。

（3）为什么用这些内容广而告之（why）

广告内容拟定之后，出版商的营销、编辑、出版各部门要会同研究，进行综合评估。主要评估以下几方面的内容：① 该广告的总体设计是否和谐悦目；② 该广告是否让读者一目了然；③ 该广告能否让读者了解到所宣传图书的主要内容；④ 该广告是否突出了所宣传图书的特色；⑤ 该广告是否突出了作者；⑥ 该广告能否得到读者更多、更广泛的反馈信息。

（4）什么时候登广告（when）

图书出版前，广告就拟好了。一些出版商为了推出畅销书，多方位地大做广告。同时，他们将新书广告寄给各地图书批发商、书店等，向他们宣传，做好图书预订工作。这样，新书一上市，就会全面开花，很快打开销路。美国的出版商还十分重视做好图书出版后的广告宣传工作。他们着重向具体读者对象介绍、推荐新书。

（5）在哪儿登广告（where）

哪儿最能引起公众的广泛注意，就在哪儿登广告。报纸和杂志是最受出版商欢迎的广告载体。刊登广告时，精明的美国出版商考虑得细致而周到。他们认为广告不应在报纸或杂志中乱插，要选择一个比较固定的页码或在扉页、封底等地方登广告，读者每翻到这些地方就能看到广告，多次重复，必然吸引读者注意力。

4. 出版后有效利用平面媒体上的图书排行榜

很多平面媒体会发布图书排行榜，一个权威媒体的排行榜对图书的销售有巨大的促进作用。如《纽约时报书评》是一份星期日出版的增刊，创始于1896年，最初每周六出版，从1911年起改为周日出版。《纽约时报书评》是美国最老、影响最大的日报附属书评周刊，也是曼哈顿高级知识分子必备的周末读物，它联合全国近四千家书店统计制作的畅销书排行榜，更是美国甚至世界出版界商业成功的指向标。想象一下，如果你的图书登上了一本如《纽约时报书评》这样报刊的排行榜，图书的后续销售量无疑会大大增加。

在国内，发布在《出版商务周报》上的"开卷图书排行榜"是最权威的，其次是《中国图书商报》的"东方数据"，再次是《中国新闻出版报》的排行榜。其中"开卷"监测全国30个省市近1500家门店，"东方数据"监测全国 30 个省市近 900 家门店，《中国新闻出版报》以开卷为基础，并掺加了学者的参考意见。利用好这三个平面媒体上的图书排行榜，相信会对图书销售带来巨大的好处。

排行榜有着不可低估的可塑性和可张扬性，排行榜的一大特点就是滚动加时尚，我们可以根据这一特性，把握时机，加大新出图书的滚动宣传和影响，不失时机地抓住市场机会，树立图书产品和出版社的形象。显然，排行榜有着巨大的炒作空间，我们既要客观地关注各种排行榜，也要善于充分利用排行榜来促进图书的畅销。图书营销的各种手段，媒体宣传的各种方式，都会直接对排行产生影响，而排行会有力地促进图书的进一步畅销，排行榜是图书畅销的极好的鼓动手段和促进机制。

不同的读者喜欢的报纸杂志不同，在平面媒体进行图书营销时，首先要确认这本书的读者群，然后去寻找和它读者群吻合的报刊去操作，这样才能取得事半功倍的效果。比如找那些出版行业的报刊做宣传，其实这个对于销售不会有多大的作用，因为一般的读者是不看这些报纸的，看这些报刊的都是出版行业的人，而这些人往往不会购买。因此，真正要起到宣传效果，还是得找那些大众报刊才行，虽然要经费，但是有经费才有效果。如一本青春文学小说可以在《萌芽》等青少年杂志上营销，一本美容书籍可以选择在一些女性时尚杂志上营销。随着时代的发展，各种媒体日新月异，图书编辑和营销人员要做好图书的营销，必须根据这些媒体的特点不断做出调整，才能立于不败之地。

二、网络平台助攻

随着互联网时代的到来和发展，传统图书受它的影响越来越大，整个传统图书行业对它可谓是又爱又恨，爱的是在互联网这个平台上，图书销售推广更加方便、快捷、顺畅和有效，恨的是在互联网这个平台上盗版变得更加泛滥、猖獗，达到了堵无可堵的地步。但不得不说，当前网络营销已经成为出版行业图书营销的重要组成部分之一，也是最迅速、最简捷、成本最低的推广形式。

1. 微博：当前最火的营销利器

目前互联网最热的是什么，毫无疑问是微博。博客热过去之后，我们进入了微博时代，"微博卖书"也成了一种潮流。各大出版社和图书公司都在用自己的微博宣传自己的新书，下面我们就通过三个具体的案例来分析如何通过微博进行有效的图书营销。

● 案例一：在微博上推广自己的图书品牌

2010年才成立的电子商务网站"快书包"为扩大网站的知名度，在豆瓣网、开心网和新浪微博等都注册了账号，开始宣传"快书包"品牌。最初，他们只是想将微博作为一个客服平台，回答读者的一些咨询疑问。但是，2009年10月有一位香港人在北京出差，在微博上留言问能否把一本书送到他当时所在的咖啡馆。受这件事情启发，他们想到了在微博上直接接受订单，从此之后微博上的订单滚滚而来。根据他们的统计数据，包括豆瓣、开心网、微博、百度、谷歌等网站在内，在他们网络销售渠道中，效果最好的是微博。"目前我们官方网站有超过40%的流量是由微博上来的，另外来自百度和谷歌、豆瓣、开心网等渠道的流量分别占30%，且来自微博的私信订单每天有300单，占总订单的3%～5%左右。"

"快书包"创始人徐智明认为微博最重要的是服务和沟通功能。要在快书包新浪微博上下订单，目前采用的是私信下单，只需要把你的姓名、地址和你要买的书以私信形式发送，就有客服人员帮忙下单。你要做的就是等待，然后货到付款。对于博友的疑问意见，"快书包"的客服基本上都是在5分钟之内即有回复。在博友的留言中可以看到，有很多博友都在呼吁期待"快书包"能尽快将自己的所在地区纳入服务范围。截止到2013年5月1日，"快书包"新浪微博官网共发布微博12494条，粉丝8万余人。

对于微博营销来说，销售不是最重要的，重要的是服务和沟通。每条微博不管是正面的还是负面的，都应该有回应。微博的服务功能应该大于营销。

另外需要注意的是，写微博不要发过于硬性的广告，在与博友分享图书的内容时，要做到有用、有趣且言之有物，这样才能打动博友，让他有点击、转发的冲动，才有订购的可能。

●**案例二：网络红人微博卖书**

2012年6月，微博上一个拥有22万粉丝的ID"不加V"，在微博上玩起了"网络签售"，"签售"她最新出版的书。这个"网络签售"，同我们熟悉的签名售书不太一样——作者不会在你买到的书上签上她的名字（此前韩寒\郭敬明都搞过"网络签售"，但那只是在网络上销售签有他们名字的书），而只是说，你买了她的书，在自己的微博上上传这本书的照片，@作者后，她会转发你的这条微博，并加上一句小小的评论。就是靠这么个看上去很怪的游戏，一周时间，几千人得到了她在网上的虚拟"签名"，而她的新书实际的销售额则远远不止几千，"不加V"在微博上公布的数据是，一周，首印3万册售罄。她所耗费的成本，只是时间成本，在网上不停地转发、评论，同粉丝互动。

"不加V"微博卖书成为各大营销公司的"网络营销"经典案例。对此，"不加V"在微博笑称，"他们学不了"。读者与作者亲切互动，这正是"不加V"微博卖书的秘籍，也正是各大营销公司学不了的。

小众作者通过微博带来图书销售小飞跃的例子还有很多，如@蒋一谈的《鲁迅的胡子》，@瓦当的《多情犯》，@杨葵的《百家姓》，@五岳散人的《乱翻书》，@韩皓月的《爱如病毒，需要潜伏》等等，这些已或将进入"三万俱乐部"的人和书，都在图书微博营销这种形式下或多或少受益，已经是非常典型的小趋势。

● **案例三：微博转发的威力**

2010年12月28日17点11分，影视"小诸葛"谭飞在新浪微博上发布了这样一条消息：亲爱的各位，1月2日（本周日）上午10点～12点，我将在西单图书大厦一楼现场签售《影视界的知道分子》，好朋友——阳光大美女@李艾、@小花宋佳及氧气小美女@蒋方舟，还有超级主播@郎永淳等将现场助签，各位友好若有空请来玩。烦请帮忙转转。

此消息一发布，就在新浪微博上掀起了推荐转发狂潮，导演、电影人@冯小刚、@王中磊、@程青松、@张一白、@陈国星、@刘江、@小崔说事V等进行了转发，明星、名人@蔡康永、@姚晨、@陆毅、@黄晓明、@林心如、@赵薇、@陈坤、@黄健翔、@李承鹏、@谭耀文、@柯蓝、@小柯、@阿丘、@小宋佳、@香香公主颖儿、@史航、@徐滔、@李艾、@舞美师、@主持人刘婧、@张广天、@科尔沁夫等进行了转发评论，其他名人有@郑渊洁、@翟永明、@胡淑芬、@信海光、@王宛平、@徐小平、@孙国庆、@师永刚、@叶匡正、@石述思、@宁财神、@陈朝华、@庄羽、@韩浩月、@沈浩波等都进行了转发评论。

一本书引起众多名人明星的转发狂潮，阵容如此豪华强大，在微博史上还是第一次，堪称最牛微博新书推荐。

其实不仅仅名人转发的威力如此之大，普通人转发也会有意想不到的威力，巧用热门话题带动自己的图书就是一个很好的方式。这需要我们经常关注一些名人的微博，看看他们在讨论什么话题，如果跟自己的新书有关，就可以@转发了。此外，现在每个出版社和图书公司基本都有自己的微博，而且行业内大多互加好友，出了新书，互相@一下，或者借助名人@一下，往往会得到意想不到的收获。

微博营销对图书出版业来说是一把利刃，但是出版者在利用微博进行营销推广时也需要注意许多问题。

首先，不应当仅将微博作为企业广告的发布平台，还应该重视与用户的情感沟通和交流互动。应该主动地去关注用户，并积极参与评论和回复。只有活跃起来，才会赢得更多的关注；只有成为意见领袖，才可能在网络中形成更大的影响。

其次，要善于并乐于从用户处获得建议，且管理员要及时将这些信息反馈回来，在第一时间对提供建议的用户做出回复，引导用户积极地参与到新书的发布以及出版者所开展的其他活动中去。

再次，要尊重每一个用户，尽量避免与其发生争辩或是不愉快的讨论。如果遇到负面消息或是客户的恶意诋毁攻击，个人一定不要贸然发表回复或声明，应该将情况立即反映上来，并收集所有相关的留言信息，待查明详情后由所在单位做出统一的回应。需要强调的是，这个过程一定要迅速开展，尽量缩短负面新闻的传播时间，以免造成不良影响。

可以说，利用微博来促进出版营销，目前尚处于探索阶段，如何健全机制，使微博营销更加规范、系统地为出版事业服务，是需要每个出版人进一步思考的问题。出版者如果能利用好微博这一口碑营销的新利器，必将会在网络时代激烈的市场竞争中抢占先机。

2. 网上书店：最具潜力的图书销售平台

网上书店因为具有全天经营、优惠销售、经营无界、信息畅通、规模不限等优势，使网上书店越来越成为宣传和销售图书理想的地方。随着网络渠道占比的不断增大，网上书店已经成为兵家的必争之地。下面我们就来谈谈网上书店营销时需要注意的几个方面。

（1）了解当当网、亚马逊等网站各个板块的构成。

知己知彼，才能百战不殆。我们要做网上书店的营销工作，首先要了解不同网上书店"图书频道"的构成，它有多少个二级页面，它的图书首页的构成是如何的，哪些是可以花钱购买的宣传位置，哪些是网站采购、编辑推荐的，哪些是需要图书销量到达一定程度才可以登上的……只有掌握这些信息，了解了相应规则，编辑去做营销活动才是具有针对性的。

（2）利用好网上书店的页面展示。

可能有些编辑会想，网站的图书页面信息无非就那么几个，内容简介、作者简介、编辑推荐、目录、在线试读，有什么可说的。其实不然，这里面也有一些门道，比如图书的封面，图书的页面展示是否有冲击力且和谐完整，如果能够在图片清晰度达到要求的同时，尽可能多地展示图书的不同角度，比如封一、封底，立体的、平面的，可以让这本书有更多角度的展示。再比如，书名后面可以加上搜索关键词，也就是一句广告语，这个广告语其实恰恰是对书名的有效补充，有了这个广告语，读者在搜索图书的时候，就有可能根据某一个热词而非书名搜索到你这本书，这无形当中增加了图书出位的机会。我们还可以给每本书加一张电子的海报，以吸引读者的注意力……所以，编辑千万不要忽视一个小小的页面展示，可利用的有很多。

（3）借助排行榜。

每个网站都有相应的排行榜，很多读者都喜欢查看图书榜单来查看当前的畅销图书目录，如果你想给图书更多出位的机会，采用打榜策略的话，那么你在打榜时要对打榜图书数量进行精密计算，你要想好是上"图书飙升榜"，上"新书热卖榜"，上分类榜，还是上总榜，不同的榜单，打榜策略是不同的，编辑需要区分对待。

（4）做专题和促销活动。

每个网站定期都会组织活动，一种是满减活动，现在一般是出版社和网站合作进行。另一种是专题页面，比如母亲节、世界读书日等节日，网站会进行相应专题的投放，这个时候，编辑可以推荐你的图书，让它进到这个专题页面中，以带动图书销量。

（5）引导商品评论。

每个图书页面下方都有相应的读者"商品评论"，这个评论很重要，它很大程度上反映了读者对这本书的认可程度。现在几大网站一般都采用以时间为序的形式展示读者的评论，也就是说，越是新的评论、越出现在页面的上方。所以如果看到有不利于这本书的评论，编辑可以适当采用购买图书并评论的方式，用你的最新评论将这些负面评论覆盖住。有效利用好页面的评论，从而引导读者的购买行为。

除了宣传和销售图书以外，网上书店还有一个很重要的作用，就是影响传统发行渠道。经网上书店宣传的图书更有利于其在全国范围内的发行和上架。这一点是相当重要的，有很多地面书店和书商都将知名网上书店的宣传和销售情况作为自己进货的依据。

目前国内较大的网上书店有当当网、亚马逊、京东商城等，一些出版社和图书公司也开设了自己的官方网站，此外还有新华书店等实体书店的网络店。可以说，网上书店是图书销售的一种趋势。

在图书销售过程中，编辑还需要注意的是控制网上书店图书的价格，以避免引发恶性的价格战。

3. 门户网站：极具影响力的营销渠道

目前腾讯、新浪等各大门户网站都有自己的读书频道，还有专门的图书网站如豆瓣网，百度、谷歌等搜索引擎也可以做图书广告，很多图书都会来选择这些地方做宣传。这些网站的特点是点击量大，读者水平高，好的图书往往在这里能够得到青睐。对于这些网站，图书编辑和营销人员需要与网站编辑进行良好的沟通，甚至需要直接支付高额广告费，操作起来有很大的限制，但是宣传效果往往非常好。

需要注意的是，我们需要根据图书的内容对这些网站进行选择。例如各大门户网站的读书频道适合作小说、人文、经管等大众图书的宣传，不适合专业图书的宣传。而更多的传统站点或者大门户的专业频道只适合专业图书的宣传，例如，如果近期股市火暴，各大门户网站的财经频道、各大证券网和基金网就非常适合股票和理财类图书的宣传。

4. 论坛和社区：专业书友聚集地

论坛和社区已经成为人们通过网络进行交流和学习的重要平台。例如，新浪、搜狐、腾讯等综合论坛和社区，ITPUB、CSDN、天极网等知名IT论坛和社区，天涯社区等知名小说社区，每天登录量都是数以万计。一些非常专业的技术论坛，人气也都很旺盛。

我们可以根据自己图书的潜在读者对象的情况，选择合适的论坛和社区发帖，组织讨论或者搞活动，只需花费很少的人力就可以将图书资讯快速传播出去，达到好的宣传效果。当然，宣传效果能够达到什么程度，与你选择论坛和社区的数量和质量、发帖的水平、活动的吸引力、图书作者和内容的影响力、是否为当前热点等都有很大的关系。

除了以上四个大平台之外，专业网站、电子杂志、百度贴吧、聊天工具（QQ、MSN等）、视频网站（优酷网、土豆网）等平台都是发布图书广告，进行图书宣传的有效途径。

总的来说，网络平台已经成为图书销售不可或缺的一部分，图书编辑要做的就是用好网络平台上的各种工具和功能，最大化地去推销自己的图书。网络营销其实是一门艺术，形式多样，创新不断，给参与者巨大的想象和操作空间以及自由度。作为图书编辑，要想很好地驾驭它，就必须认识到图书网络营销的特点，掌握好常规的网络营销阵地、方式和操作细节，只有这样，才能很好地适应它，不断地创新和提高，使自己的网络营销工作做得有声有色。

三、广电媒体补充

广播电视作为传统的媒体一直拥有广泛的受众，对图书营销来说，抓住这块阵地，也就意味着抓住了大量的读者。广播电视具有形象化、及时性、广泛性三个特点，能够用丰富的表现形式直接刺激受众的眼睛和耳朵，给受众留下深刻的印象。图书营销要想利用好广播电视媒体，就必须抓住它的特点做文章。下面我们就通过具体的实例来进行剖析。

1. 影视让图书"动起来"

电视上的读书节目曾经是利用电视进行图书营销的主要手段，现在已经基本无人问津。有专家说："电视媒介与阅读本身就存在着内在冲突，阅读是一种沉静的、思考的行为，需要在字里行间营造出想象的空间，而电视往往侧重于讯息的快捷和画面表现力的丰富。"因而，读书类电视节目往往难以在"慢读"的传统阅读与"速读"的电视传播之间实现一个比较好的自我平衡。

2012年,原新闻出版总署主管的《中国新闻出版报》在"世界读书日"推出了特刊,首次对全国的报纸、广播、电视、新媒体开辟读书版、读书周刊、读书栏目(节目)的情况进行调查。纳入调查范围的有150家报纸、9家广播电台、35家新媒体,而作为最有影响力的大众传媒,只有6家电视台开设了读书类电视栏目(节目)。实际上,在当下由收视率主导的中国电视行业中,娱乐成为电视机构获得收益保障的不二标签,读书类电视节目因其相对较高的文化品位,始终处于尴尬的境地,一些节目在激烈竞争的电视荧屏上逐渐萎缩消逝,一些节目则力图转变制作思路使自己摆脱边缘化的命运。读书类电视节目所受的冷遇,也往往被看做当代中国人阅读现状的一个缩影。

电视媒介与阅读本身的冲突难道真的不能共存吗?答案是否定的。

相信大家都听过奥普拉这个人,《奥普拉脱口秀》多年占据着美国脱口秀节目的头把交椅。1996年,她利用脱口秀的影响力推出了奥普拉读书俱乐部,不仅推动了业已萧条的出版业,还通过自己的图书推荐左右着最佳畅销书排行榜。美国经济学家理查德·巴特勒认为,奥普拉的图书推荐对图书销售所起到的促进作用前所未有。她在电视上推荐的每一本书,几乎都能从无人问津迅速蹿升至畅销书排行榜的头几名。读者、作家、出版商全都仰赖于奥普拉的"点石成金"。

在国内,中央电视台的《百家讲坛》成了造就学术明星的平台,阎崇年、刘心武、易中天、于丹等人都通过这个平台崭露头角,名成利就,也带动了他们图书的热销。阎崇年的《明亡清兴六十年》、易中天的《品读汉代风云人物》和《品三国》、纪连海的《乾隆朝三大名臣》、于丹的《论语心得》等图书的出版都取得了百万册的销量。

出版社和电视台是互相借势的,形成了品牌激荡和市场共鸣。一方面,《百家讲坛》栏目的知名度,有效促进了相关图书的销售;另一方面,《百家讲坛》图书的热销,进一步增加了公众对该节目的关注,提升了其收视率。

《百家讲坛》图书的成功主要有两方面的原因。第一，图书的内容符合当今读者的需求，在这样一个时代背景下，读者需要这样的励志书，因此《百家讲坛》图书有广大的市场。第二，有中央电视台这一强势媒体的宣传配合，营销工作到位。

可见，读书节目不受欢迎，并不代表在电视上进行图书营销不可行，关键是找好发力点。

在中国台湾，作者尤其是明星作者出了新书喜欢到一些大众类的综艺节目上进行宣传。如李敖就曾登上《康熙来了》宣传自己的新书，其他新书作者去宣传的例子更是数不胜数。

此外，借势影视进行图书营销成功的例子也比比皆是。柳建伟《突出重围》出版后销了5万多册，但改编成电视剧播出后，销了20万多册。电视剧《还珠格格》热播后，花城、南海两家出版社的图书《还珠格格》销售了几十万册，还带动了剧中演员传记的畅销，如《小燕子——女生赵薇》、《从灰姑娘到小燕子》、《超级优秀生——苏有朋》、《真人真美丽：林心如》、《深情尔康——周杰走过》等书，销量都在好几万册。《钢铁是怎样炼成的》电视剧在全国放映后，全国有24个版本的同名书抢占市场，漓江出版社针对原来的版本都是节本，结合电视热播的好时机，出了全译本，引起媒体关注，抢占畅销的先机。

此外，《小姐你早》、《永不瞑目》、《牵手》、《太平天国》、《幸福时光》、《大宅门》、《雍正王朝》等，也是由影视传播带动图书的畅销，有些书商专门配合影视播放的时机订书，冲着与影视同名的图书订货。同是借影视东风，《笑傲江湖》的电视连续剧促进了金庸小说畅销的新高潮。电影《生死抉择》的票房过亿元，张平的《抉择》小说也在一个时期销量大增，还带动了一系列反腐小说的畅销。译林出版社出版的《魔戒》中译本借助电影《指环王》销量大增；电视《兄弟连》播出后，同名小说中译本跟着畅销。

影视和畅销书已经形成互动机制，畅销小说改编成影视，吸引观众，而小说反过来借助影视，掀起新的热销。有些小说本来并没销得那么好，而一旦影视一播，小说的销量立即大增。看来，图书出版界都知道，准确地抓住影视播放的好时机，及时推出相应的图书，这是省力而有效的一招。

图书营销编辑要做的是找对方式，思考如何围绕图书制造话题，让它以一个合理的方式呈现在电视上，把图书用电视的形式展示给观众，通过节目让观众了解作者和书的内容，从而让电视前观众变成书的读者。

2. 地铁、公交电视设备让图书"无处不在"

在北京，如果你经常乘坐地铁、公交等大众交通工具的话，就会发现自己经常看到图书广告，比如在地铁里的电视、灯箱上，公交车的电视、候车亭里都可看到图书信息。目前，大众交通工具已经成为图书广告商青睐之处。

其实早在2010年，图书营销就已经开始占据大众交通工具。2010年，在北京各线地铁重要站点，出现了北京凤凰联动文化传媒有限公司的图书《24节气饮食法》的灯箱广告，这些广告覆盖地铁1号、2号、5号、8号、10号和13号线，共计50个灯箱位，广告周期为4周。除此之外，他们还在大商务楼和高档住宅小区的电梯里介绍《婚姻，决定女人的一生》和《悬崖边的贵族》等图书。据北京凤凰联动文化传媒公司透露，该公司此次在图书楼宇视频和地铁灯箱的广告投入达上百万元。

利用公交工具投放广告并非凤凰联动一家，早在2010年1月，乘坐地铁上下班的人已经注意到，在地铁电视里新增了一档图书栏目《悦读时间》，这是北京磨铁图书有限公司投放的为期1年的广告，每次播出5分钟，每天循环播出2~3次。节目中每次会用3分钟左右的时间具体介绍一本书，其余2分钟则泛泛地介绍几本其他内容的图书。同样，坐五环内公交车的人也可以看到这一电视节目。

此外，新经典公司在重量级新书《1Q84》上市前也采用了公交广告的宣传方式。在《1Q84》上市前几天，该公司在三环路上的公交车候车厅中以硬广告的形式推出这本书上市的广告，非常醒目。广告周期是

1个月。

之所以采取这样的宣传方式，3家公司各有想法。

早在2009年底，磨铁公司就已经盯上了地铁和公交车。因为这两类公交上的人流密集，他们做的又是大众书，图书内容和人群相吻合，而且他们推荐的图书品种，考虑上班族的需求，职场书、健康书、财经书、大众历史书等是他们经常在节目中推荐给大家的。在地铁和公交车上做宣传要讲究技巧。一方面是播出时间，节目每天必播的两个时段是早上7时至8时，还有一个时间段是15时至16时。前者收看条件一般，但乘客比较多；后者车里乘客相对少，但收看效果好。车里因为噪音比较大和乘客距离电视远近不同，乘客经常会听不清楚电视的声音，因此画面要充分利用起来，让听不清的乘客尽量通过画面获得图书信息。

有资深的出版人认为，地铁广告良好的中高端品牌氛围能够带动书籍在中高端人群中的销售。地铁乘客98%都是年轻白领、潜在的中产阶级，是社会主流消费群体，也是庞大的潜在读者。

新经典公司认为，《1Q84》是他们的拳头产品，因此一直考虑如何把它宣传好。公交广告最吸引他们的就是密集的人流。他们了解了一下这方面的广告价格，发现价格还可以接受，所以就尝试了一次。他们对《1Q84》的广告效果非常满意，从销售来看，他们有明显的感觉，《1Q84》在北京地区销售得非常快，远超过其他城市。

之所以大家都看好这样的广告模式，主要是因为现在新书品种太多，如何在众多图书中脱颖而出，吸引读者眼球，是很多营销部门面临的难题，因此在与图书目标读者相吻合的地方投放硬性或者软性广告成为大家的选择。现在地铁里有很多大众商品在做广告，图书既然也是大众商品，在这里做广告也没什么奇怪的。这样的广告虽然无法具体核算出对每本书的销售究竟能起到多大作用，但显然对出版品牌会起到很大的宣传作用。

品牌中国产业联盟秘书长王永认为："我很看好图书的这种广告投放方式，这是一次很好的尝试。"虽然这样的硬广告投放短期内对书的销售未必有太大的影响，因为消费者会更习惯于直接从网络、书店等途径直接接受信息并购买图书，但此举可以有效提升企业品牌价值和影响力，帮助企业品牌从出版行业品牌向公众品牌过渡。他也强调："不能以销售数据来评估这次投放的效果。品牌建设是一个漫长持续的过程，不能计较一城一池的得失。"

可见，在地铁、公交等电视设备上投放广告是一种高投入的方式，需要集一社之力，才有可能做成，编辑们可以借鉴参考。

3. 广播让图书"响起来"

当前，广播中的读书节目和电视中的读书节目一样举步维艰，但这并不能说这个平台不适合图书宣传。其实听书也是一种享受。有读者说："当工作较忙、家务繁重时，当路上塞车时，我没有时间看书，就用耳朵'听书'，我经常一边干家务，一边聆听广播里主持人声情并茂的朗诵，精神愉悦，心情格外好。"当我们在路上等车时，忙家务时都可以听听书来缓解疲劳，既不耽误事情，又能享受阅读的快乐，可谓一举两得。《杜拉拉升职记》、《鬼吹灯》等热门图书都曾出现在广播中。一些儿童类的书籍更是适合以声音的形式在广播中呈现，定期让孩子收听读书类的广播，相信会对他们的成长起到很好的作用。

因此，在广播中进行图书营销，主要把图书用合适的形式呈献给读者，通过主持人阅读就是一个不错的方法。当然，还可以通过作者访谈的方式，在话题中将图书的信息传播给听众也都是可以借鉴的。

虽然在广电媒体上进行图书营销也许是一种非常规性的营销方式，并非所有的图书都适用于在广电媒体上宣传推广，但运用好了，不仅能取得销量上的成绩，还能对图书本书和出版机构的品牌建设起到巨大推动作用。

四、各类活动拉动

对于图书的营销工作而言，做活动是一种比较有社会影响力的营销方式。具体来讲，比较具有可操作性的活动包括：签售会及读者见面会、巡回讲座、线上活动及赠书等。

1. 图书签售会与读者见面会

图书签售会是作者和出版机构在公共场合为购买自己图书的支持者在现场签名的活动，它不但可以拉近作者与读者的距离，而且是一种非常重要的宣传方式。

作为公众性的活动，要想举办好，需要注意很多方面的工作。

（1）选址及时间安排。

一般来说，图书签售会的选址尽可能是各地著名的新华书店。如，在北京一般选择西单图书大厦或王府井新华书店等。时间的选择非常重要。要尽量选择在周末，因为这两天去书店的读者人数上明显比平时要多。对于现场读者人数而言，按照多数人的作息，往往是周六多于周日，下午多于上午。

（2）事前准备。

在决定举办图书签售会前，出版方的营销和发行人员，需要事先与书店方面进行良好的沟通，安排好场地及相应的布置。

（3）联系媒体，做好宣传工作。

在活动发布前两个星期左右，出版方需要根据自己的需要，选择若干家新闻媒体，提前进行预热，让读者对签售活动所了解。事后还要加以报道，提高新书的知名度。

（4）现场秩序的维护。

这一点非常重要。任何一场公众活动，都必须注意会场的秩序和参加者的安全，避免出现混乱，要与书店方面协调好，安排人员维持秩序。同时，在重要地区举办的活动，需要在当地警方备案。如在西单图书大厦举办活动，就需要在西城区公安分局登记备案。

●**案例一：柴静《看见》签售会**

广西师大出版社出版柴静的《看见》，在西单图书大厦举办的签售会，就是一次非常成功的活动。

从时间上来讲，该书的举办时间是2012年12月16日14：00（星期日下午）。符合前文所讲到的一般规律。这一天新华书店里面挤满了人，签售出的图书在6000册左右，达到了时间和场地所允许的最高限度。

签售会前两周左右，柴静就利用她在中央电视台以及其他诸多媒体平台的关系，对图书签售会进行预热。各大媒体竞相报道，以致稍微关注时事的读者都会听到这个消息。

关于这本书的包装和宣传，该书的编辑是这样评价这本书的：

央视知名记者、主持人柴静，首度出书讲述十年央视生涯。个人成长的告白书，中国社会十年变迁的备忘录。

非典、汶川地震、北京奥运、华南虎照事件、药家鑫事件……在新世纪头十年的几乎所有重大事件中，都能看到柴静的身影，通过她在新闻热点第一线的真实记录，我们可以更真切、更深刻地读懂中国，了解我们身边这块土地上曾发生过的与我们的命运休戚相关的大事，知道它们如何发生，我们又该怎样面对。

我们自己的故事。采访是生命间的往来，在柴静的节目和文字中，无论是汶川地震、征地拆迁、家庭暴力，还是卢安克、药家鑫，我们看到的是一个个具体的人，在他们身上，也可以看到我们自己，他们的故事，某种意义上也是你和我的故事。

柴静个人成长的自白书。从对新闻一无所知的新人，尝遍失败、迷茫、摔打的滋味，

图6-5 《看见》海报

到如今成为央视最受欢迎的女记者和主持人,柴静从未停止反思和追问,《看见》告诉你柴静何以成为柴静,她经历过什么,思考着什么,又记下了什么。

其实,这本书值得我们称道的地方有很多。

关于炒作作者。作为"公知",柴静原本就有大量的粉丝,更为炒作本书提供了可能。她的中央电视台知名记者、主持人身份,为《看见》的成功蓄积了一定规模的粉丝,同时,她本人也很善于积累读者群。她介绍,在做电台的时候,每天比如说用 4/5 的时间读大家来信。可以说,柴静一直在持续引导、影响追随者,与追随者形成了稳固的关系。曾有一次柴静去大学做讲座,由于来的人太多,教室的玻璃桌椅都被挤破,讲座被迫取消。柴静追随者的数量庞大及热情度可见一斑。

而其本人的一些八卦也对书籍的促销产生了巨大的促进作用,网络上还分成了"挺柴"与"劈柴"两大群体,并引发了激烈的辩论。虽然出版方一再强调,这并非出版方行为,纯粹是社会个人行为,柴静对此闭口不谈也引起了受众极大的好奇心,但这也让人看到,名人效应配合专业的营销运作可以让一本图书卖出惊人的销量。

在国内出版业,图书销售册数过 10 万就算是畅销书,一年中能达到上百万册的也就一两本,以往能达到这个数字的是白岩松、杨澜、易中天等名人,近一两年则是郭敬明和加冕诺贝尔奖的莫言。而《看见》这本书,上市仅三个月,销量就已经超过 100 万册,可以说,各种签售会对图书的销量功不可没。

● 案例二:张小娴《谢谢你离开我》签售会

如果说《看见》一书在炒作者方面下的工夫更大一些,那么张小娴的新书《谢谢你离开我》新书签售会,也就是一个更加典型的充分利用签售会拉动营销的例子。

《谢谢你离开我》是张小娴在《想念》后时隔两年推出的新散文

集，主题是离开，实际是透过离开讲女人的成长，告诉读者爱一个人只有两条路，给他自由，或是成为很棒的女人。该书简体版由中南博集天卷和湖南文艺出版社出版发行。

签售会的时间选在了2013年4月13日下午两点，是一个周六的下午。这个时间的选择是相当好的。《谢谢你离开我》签售会的地点在西单图书大厦，是北京面积最大、人气最热的书店。

早在发布会前一周左右，出版方就开始在微博上

图6-6 《谢谢你离开我》海报

发布信息，举行了微博转发赠书等活动，还在北京的几家主流报纸和网站上发布信息，让多数读者都能及早了解这一消息。同时，出版方在网上发出了部分试读本，收到了众多读者的反馈，效果极好。

出版方还在书店门口摆放了相应的海报，吸引路过的读者进店观看和参与签售会，购买图书。

现场的气氛十分热烈，场面火爆而有秩序。该书当场签售了6000本，以至于张小娴在微博中提到签书签到"手指都破了"。

发布会当天，有数十家媒体的记者到现场进行采访、拍照，而当发布会一结束，多数主流网站都对此活动的信息进行了报道，次日的报纸也是这样，让该书的知名度进一步提高。

综合各个方面的因素，该书上市仅一周销量就已突破30万册，更位居各大网店销售榜首。此次活动堪称完美。

与图书签售会类似的，是读者见面会。其实，读者见面会与图书签售会有很多类似的地方。二者的区别主要有以下两点：

一、从目的上讲，读者见面会主要是作者与读者进行沟通，增进感情；而图书签售会重点媒体推广。

二、从形式上讲，读者见面会是以作者和读者的对话和互动为主，而图书签售会则更多地是由作者介绍图书，并签名销售。所以，编辑和营销人员可以根据二者的不同，采用不同的营销方式。

2. 巡回讲座

巡回讲座主要是通过作者在一定的机关团体、企事业单位对某一专题进行专门的授课，讲述图书内容，以期促成团购的一种活动。此类活动一般比较适于培训类图书。

举办巡回讲座，需要作者擅长表达，抓住热点，并能够有效控制现场气氛。作者的授课水平是举办巡回讲座的第一关键。只有作者能讲，讲得有吸引力，才能让读者关注书中内容，促成订单。如果能够举办成功，效果将是非常好的。

●案例三：《担当》的巡回讲座

《担当》是 2011 年中国纺织出版社出版的一部培训类图书。该书的市场定位主要针对以下三个方面：

1. 希望组织稳定的政府部门、机关单位；
2. 期待企业振兴的各大企业、上市公司；
3. 期盼个人更快成长、更好发展的职员。

根据这个市场定位，出版方通过各种渠道联系到了多家党政机关，进行了一系列讲座，效果显著。

以作者林少波在濮阳市委的讲座为例：

濮阳网讯（记者 赵利英）2012 年 6 月 30 日，《担当》的作者林少波抵达河南省濮阳市开发区多功能厅，为市委中心组包括市直机关和各县区一二把手在内的 500 多人做了两个多小时的主题讲座。

林少波此次讲座主题为"敢担当，会担当，善担当"。从历史角度为濮阳市提炼了4点担当精神。

聆听报告后，听众普遍认为，林少波的讲座既有较高的理论性，又有很强的操作性。

这个讲座之所以能够举办得如此成功，很大程度上得益于作者的演讲水平、风趣的语言和现场的把控能力。最终，濮阳市委、市政府以及中原油田对本书下了数千册的订单，加上同系列的几次活动，《担当》一书，仅通过巡回演讲就创造了万余册的销量。

从以上巡回讲座的事例，我们不难看出，巡回演讲的作用是巨大的，如果能够办好，很容易促成团购，直接完成大笔订单，实现营销目的。

3. 线上活动

线上活动，一般是指全程依托于网络，在网络上发起，并全部或绝大部分在网络上进行的活动，于网络上发布活动信息，募集活动人员，在网络上进行活动的流程。线上活动的涵盖面其实很广，这里主要讨论的是在豆瓣网线上活动和转发微博赠书等活动。

线上活动的优点主要包括三个方面：

首先，可以零距离接触消费者。单纯的新闻传播和广告都需要载体（电视、报纸、路牌广告等）实现出版方与读者之间的对接，而线上活动则是直接与读者沟通。

其次，可以变被动为主动。在读者看来，单纯的媒体传播和广告都是被动的接受，而线上活动更多的是吸引目标读者主动参与，通过体验，更多了解图书信息。而且，活动的类别多元化，又具有新意，往往是在线下难以进行的活动或不适合现场的活动，以及活动内容围绕网络为核心的活动。

再次，线上活动节约了线下活动需要现场召集等环节，节约了物流、客运和场地等成本，也被认为是最节约资金的方法。

随着网络的日益普及，线上活动对于图书营销的积极作用将日益提高。

一个完整的线上活动的流程，主要有四步：

第一，需要一个网络平台的支持。通常是选择豆瓣网。豆瓣网作为专门的读书平台，所产生的影响具有较强的针对性和指向性，活动投放的意义较大。这需要与网站方面充分地沟通，做到分工合作。

第二，活动发起人，也就是出版方，需要首先制定活动的策划方案和计划，然后进行市场调研，可行性分析和结果预测，以免得不偿失或做无用功。

第三，在网络上面发起活动通知和活动细则，活动注意事项等信息等。

第四，活动进行阶段，由网友参与，并在网络上进行活动的各项流程，活动结束后，由参与者或其他人员发布活动总结和感想等。

线上活动除了在豆瓣上举办之外，还可以通过微博赠书等来实现。

随着微博的日益发展壮大，多家知名出版单位开设官方微博，通过这个全新的信息平台，借助其短小、快捷、开放、互动的特点，达到宣传新书和推广品牌的目的。书业出版中，这种新兴的营销方式已经引起业内人士的广泛关注。现在微博不仅成为图书的营销工具，同时还具备客服功能。

在新浪微博"文学·出版"板块，活跃着多家知名出版单位及图书公司，例如二十一世纪出版社、人民文学出版社、外语教学与研究出版社、时代书局、万榕书业、磨铁图书、读客图书等。此外，何建明、"金黎组合"、沈浩波、路金波等多位知名人士，都通过微博或介绍旗下新书，或谈论出版界热点现象及事件。

相比传统图书营销的局限，微博营销在沟通互动、转发推广方面功能明显，它可以通过视频、音乐等整合营销的角度，按照早、中、晚不同的时间段发布不同层次内容的微博，突破了传统营销方式的单一和局限。

开展活动的方式和手段多样，不仅局限于上面提到这几种，只要有好的创意和点子，善用活动、办好活动，实现与读者的良性互动，相信对于图书的销量一定会有很大的促进作用。

本小节实训项目

《从前有座山，山上有座庙》，作者为微博红人@延参法师，出版社为@时代华文书局。请为本书进行一次微博营销。要求：（1）写10条以上不同内容的微博，每条不得少于100字。（2）每条都必须配图。（3）@相关有效名人，至少要有5位加V名人。营销效果以最终微博被评论和转发率为评判标准。

第三节 补充性营销

顾名思义，补充性营销就是在常规营销的基础之上所作的有效补充。本节中所提到的营销方式有些是编辑在平时工作中忽略的，如果能够将这些营销方法重视并且有效利用起来，将对图书的销量和影响具有不小的拉动作用。

一、争取让图书做到非书脊式摆放

一本书卖不好，我们总是认为是读者不喜欢这个书。的确有这个因素，但更多是"读者根本没看到这个书"！一本书都没出现在读者眼里，他都不知道这个书，怎么可能有购买行为呢？因此，加大铺货，提高"上架率"，特别是非书脊式的上架才是最关键的。

在这里强调非书脊式摆放，其实正是实现畅销书的第一步。前面几节提到的各种营销方式，都是为了增加图书的关注度，为实现畅销所作的具体工作。本节的主攻方向在于图书卖场，了解一下到底哪些环节是编辑需要注意和可以借鉴的，从而给自己所做的图书增加畅销筹码。

1. 首先要说服同事、领导

图书的出版强调的是一个流程，没有谁可以把所有的工作都做了。按岗位来说，可以大致分为策划编辑、责任编辑、营销编辑、发行人员这么几个主要角色，你也许是其中的策划编辑或者责任编辑，你要知道你的说服对象不仅仅是读者，你首先要做的是说服离你最近的同事，因为他们是下道工序的直接责任人，他们对这本书的看法和关注度将会影响这本书的前景。

一个出版机构每年要出那么多的图书，如何让你的同事、领导将他们有限的资源倾斜到你做的这本书上来，这是需要编辑花心思去想的。所以，编辑首先要以年为单位来思考在这一年所做的图书中，哪几本是你所看好的并且会花更多精力和资源去做的。接下来，带着你想好的强有力的说服理由，通过书面、PPT或直接面对面沟通的方式，来说服你的同事和领导重视你这本书，让他们把你这本书当成一本重点书来对待。当大家劲儿往一处使的时候，你后面的很多工作将达到事半功倍的效果。

2. 对卖场的情况要有所了解

讲到这里，可能有些人会问，这些工作应该是由发行人员来做的，没错，发行人员是与这些终端店直接沟通的一线人员。但是，发行人员关注的更多的是图书的总销量，发行人员每月要发几十上百本的图书，不可能对所有的图书都照顾得过来，所以此时，就需要编辑对自己的书要非常上心，你可以通过各种渠道去了解终端店的具体情况，从而为你下一步的营销计划以及"非书脊式摆放"提供有效依据。重点宣传的图书，可以为书店提供精美的海报、易拉宝，或为重要卖场提供货架贴。一些具备畅销潜质的重点图书希望能在卖场专区进行码堆，营造"重磅"气势。所以，也就需要编辑们了解以下几个方面。

（1）了解书店的规模。

书店规模的大小会影响到铺货的选择，要考虑对方能给你提供多少资源来支持你的发货数量。

（2）关注书店排行榜。

很多大型书店都会有自己的排行榜，排行榜通常是分类别的。留意排行榜，并有效利用这些信息。

（3）看书店平时都促销什么，促销手段是什么。

每年书店都有自己的营销计划，你要看你能不能参与进去，或者你来主导一个活动，书店有什么资源来配合，这是只有在卖场才能了解到的情况。比如有没有视频播放，能不能放易拉宝。只有了解这些信息后，你才能有针对性地做营销计划，知道落脚点该落在哪里。

3. 跟书店要资源，占什么位置好

对于书店来说，永远关心的是书的动销。因为店面资源毕竟有限，能创造很好销售的可能只有那么几个核心的区域：黄金位置、次要位置、主要通道、次要通道。摆什么书，怎么摆放，其实在书店内部都有自己的一套规矩或流程。

一般来说，书店大堂大门两边或者正对大门的中心位置，是一个书店最"黄金"的中心展区，适合陈列全店范围内重中之重的图书品种。各个不同的图书区域中，比较显眼、易受读者关注的位置，也适合陈列重点品种。

除了选择不同的陈列区位，不同的图书具体以什么方式陈列，也有自己的讲究。一般来说，有码堆、展台、展架三种方式，主要依照书店的具体情况来自主选择搭配。陈列热点、重点图书的理论和方法是"重点码堆、多处可见"。北京西单图书大厦对动销频率大的重点品种，往往采用码堆的形式；而推荐的新书由于处于市场培养期，则会在展架上陈列七八个复本。

所谓"插放不如平放，平放不如码放"。而插放也是有技巧的，插到最上面、最下面还是与视线平行的位置是不一样的，它销售出去的机会也是不一样的。够不着的地方是没有人去关注的，最下面的也没有人会蹲下去看。所以编辑可以提醒发行人员与书店人员沟通，尽可能地放到好的位置，可以选择靠着畅销书放，能平放的尽量平放，争取能把书放到上面所讲到的"黄金位置"，但这个需要把相关环节打通。

4. 什么书会重点陈列

一般来说，各书店选择重点陈列品种的标准都有一定的参照系，最常参考的便是排行榜，包括开卷全国图书零售排行榜和书城自己的销售榜单。但以销售数据为参考，属于被动销售环节；现在很多书店都会根据市场信息的变化，适时、主动推出符合信息要求的重点品种进行陈列，往往产生良好的销售效果。

一般卖场都会设置一个规模较大的重点陈列区，并设有专门的负责小组。重点陈列区的板块包括三个部分：第一类是新书推荐，一般选择成长性强的新书品种；第二类是上月本店销售排行榜前十位的图书；第三类是店长综合业务主管、员工意见后的推荐品种。需要注意的是，店长推荐的有别于一般畅销品种。现在很多书店都在尝试将不同种类、但有某些关联的品种摆放在同一展台，这是考虑到读者的随机心理，以畅销书带动常销书。

在不同的书店，根据不同的分级分类，重点陈列区的品种维持时间从两三天到一个月不等。所以，要根据不同的卖场来决定准备采取的陈列策略。

5. 由谁来选择重点书

知道了哪里是书店好的位置，什么书有可能放到的好的位置后，下一步编辑和营销人员需要了解的就是：重点图书是由谁来选择的？你能介入到书城的重点书挑选吗？

其实，几乎所有的书店，重点图书都是由店面管理人员进行确定的。

比如，在北京西单图书大厦，哪些书可以作为热点书、新书等重点推荐图书上架，怎么上架，怎么摆放，都是各个类别的主管决定，这方面他们的自由度还是很大的。辽宁北方图书城则是由书城的图书部、业务部、企划部相互合作，由业务部提供信息、企划部配合社会热点一起来决定图书种类，具体由图书部进行上下架操作。

其实，这样的操作，对书店业务员提出了比较高的要求，负责展区必须有高度的敏锐性，对图书市场及社会热点要善于捕捉。书店业务员除了有"快"的竞争心态，还要做到眼观六路、耳听八方：关注重点出版社新出版的相关图书；关注名家作者所出新书和目前流行的畅销书的同类出版物；关注热点，包括时事热点、行业热点、社会热点、文化热点等；关注目前时尚潮流与流行趋势。如当前上映的电影、电视剧的同名小说、剧本及改编小说等。所以，这也就是我们强调编辑人员要多去卖场的原因，你完全可以根据卖场的变化来判断当前图书的流行趋势，以及通过和店员沟通，在获得第一手信息的同时，进而影响他的摆放决策。

6. 北京西单图书大厦：重点陈列自有一套

以北京西单图书大厦为例，它的重点书码放有一套严格的规则和标准，在什么位置，以什么方式，陈列什么图书品种，都有自己的规划。在分类上，大致可分为热点、新书、主题、促销四类。

（1）热点：各楼层每月都把上月销量进入前100名的图书分别展示出来。即所谓的"热点书"。排行榜肯定经过市场检验，都是读者所钟爱的书籍，图书销量比较大，所以往往利用码堆的方式，一个月更换一次。

（2）新书：因为有的畅销书上榜的时间长达几个月，所以要有新书推荐相配合。大厦各楼层都有新书展示，每种新书保持七八个复本上架。这些书在选择上有两种方式：一是通过媒体，在晚报上连载或者电视栏目推出的图书。比如北京电视台的《快乐生活一点通》，往往书还没到，市场已经被炒得很热，这样的图书，马上陈列出新书往往可以收到比较好的效果。二是凭借经验，瞄准以往引起社会反响比较大的重点作家或者系列图书。相对于畅销书的每月更换，推荐新书更换的频率更快，随着外部条件的变化常换常新。

（3）主题：主题展区一般是配合大厦的活动来开设，这方面也有相关的陈列规则，如"世界读书日"，就会有一定种类的图书在相关地点做主题展销。比如5月份有"全国科技周"，书店就会在大厦重点展销相关科普类读物。

（4）促销：一般是由出版社主动提出，要与大厦相关人员视具体情况进行规划。

以上是北京西单图书大厦的图书陈列方式，不同的书店方法不同，编辑要区别对待。

让图书实现非书脊式摆放，是每个编辑梦寐以求的，可以为图书的销量带来明显的拉动效果。因此，找到不同书城选择重点图书的标准和因素，就相当于破解了卖场"非书脊式摆放"的密码。所以，编辑们要多去书店，细心观察每个书店码放的规律，多跟书店业务员交流沟通，了解他们的想法，相信一定会有所助益的。

二、真心关注每本书上市后的命运

现在，请静下心来想一下，你是否真心关注了你所做的每一本书上市后的命运？所谓的任务与考核是不是让你陷入了不停出新书的死循环？每本书如同十月怀胎，"孩子"出生后却让其自生自灭？一本书历经好几个月的辛苦，经过很多人的集体智慧，一旦出版就觉得如释重负，热情渐冷？作为策划编辑、责任编辑、营销编辑的你，如果自己都不关心自己的书的命运，还有谁来关心呢？

任何一本书，都可以说是编辑的孩子，爱书就要像爱自己的孩子一样关心他！爱他的全部，不仅爱他的畅销，也要爱他的滞销。没有销售不了的书，只有找不到方法和做不到位的销售模式和思路。

其实，你的每一份用心与用功，肯定都是有价值的，得到的回报也是与你息息相关的，很多时候，往往是你的举手之劳，就能改变一本书的命运。细节决定成败，细节也决定一本书的成败。

所以，作为责任编辑、策划编辑、营销编辑，应该时常问问自己：

1. 你是否对负责的书上市后反映不佳而焦虑？

任何一本书都会有遗憾存在，也许会有各种客观原因的存在，但我们需要通过认真分析，去找到隐藏在这些表象背后的深层原因，寻找问题的症结所在。所谓"在其位谋其职、拿其薪做其事"。我们需要的不是抱怨时运不济，而是要更加客观地去反思这本书没有卖好的各种细节。其实，图书出版是一项实践性非常强的工作，编辑的经验、眼光、技能、水平也正是在这一次次的磨砺中不断提高的。所以，每一个编辑都需要在每本图书出版后不断进行跟踪，跟踪它的销量，跟踪它的市场反响，不断号脉、不断总结，不断修正，只有如此，编辑的功底才能不断提高。

2. 你是否对每本书的相关情况都了如指掌？

作者、内容梗概、卖点、定价、开本、册数……你能张口就来吗？

之所以我们在这里强调掌握每本书的相关情况的重要性，就在于只有对于每本图书的内涵和灵魂精准把握住，才能在后期的营销推广中游刃有余。假如你是营销编辑的话，你能不能用一两句话把卖点清晰地说出来，并且准确传达给对方，这些是不可能靠看简介、看序言、看一章就能看出来的，这个功课是应该做好的，这对于营销来说是最基本的一个素质要求。只有对每本图书的定位有一个清晰、准确的把握，才可能把这本书的营销工作做好、做到位，做精彩。

3. 你是否不放过宣传图书的任何一个机会，哪怕很小？

公车上、地铁里、网站、杂志、吃饭聊天……机会随时在你身边！优秀的营销人员善于把握这些机会，并且转化为业绩。

某个出版社的策划编辑，有一次晚上和朋友一起打麻将，有个在银行工作的朋友来晚了，因为他们单位在组织员工学习某些书。这位策划编辑在得知这个信息后，晚上回家就做了第二天的功课，他先是精心挑选了社里的相关产品，第二天去拜访了不同的银行。他去给银行推书的时候是这么说的：最近中国银行在组织他们的员工学习某某书，但是我觉得你们倒不一定跟他们学一样的东西，学我手里拿的这些，也是可以提高×××，达到同样的效果的。

通过这个团购的案例，我们看到，营销其实就是通过生活中的一个片段和信息，然后把它放大，从而抓住机会，产生销售订单的。可见，营销推广就在我们身边，就看你是否用心抓住了。

4. 你是否会在书店里寻找你做的图书并把它们的位置摆得更好？

在"争取让图书做到非书脊式摆放"那节中我们提到，一本书在书店的摆放位置其实很大程度上决定了这本书的销量，那节中我们侧重点在如何通过影响外部环节，借助他人的力量将你的书实现非书脊式摆放，这里我们所讲的是编辑本人在逛书店的时候，是否留意自己的图书的摆放位置，是否会把自己的书摆到更好的位置，哪怕只有5分钟出位的时间。如果编辑自己都对自己的图书摆放持无所谓的态度，那怎么可能指望它卖好呢！

5. 你是否在闲暇时去一些网站论坛上发布书评或书讯？

我们提倡无时无刻不营销，逛论坛其实是编辑的一项必备工作，优秀的编辑不仅会在论坛中发现好话题，并且还能将这个话题有效结合到自己的图书上，巧妙借势。这需要编辑具备很强的敏感度以及有效利用信息的能力。无论是跟帖还是自己发帖引导读者，效果如何暂且不论，至少会让很多人知道了你这本书，进而产生兴趣，产生可能的购买行为。

6. 你是否会去当当网、亚马逊网查阅最近出版图书的上架情况？

某一天突然发现自己的书出现在某某专题中，或出现在搜索框内，或进入排行榜，其实这些信息都是需要编辑及时跟进并且迅速利用的，这就需要编辑经常登录当当网、亚马逊、京东商城、苏宁易购等网站去查看自己的图书。在图书刚刚上市时查看图书的页面信息是否完全、准确，是否按时上架了；在图书销售的过程中，及时查看销量情况，是否断货等信息，通过及时发现问题，采取相应对策。比如，及时发表相关评论把不好的评论顶下去，在点击自己的图书后与畅销书创造链接机会……只要编辑用心，电商平台可利用的还有很多。

7. 你是否每天都到"北发网"查阅图书的销售情况？

"pub.xhsd.com.cn"这个网址，相信很多编辑都不会陌生，这是北京新华系统的销量监测网站，从这个网站中，我们可以监测到单本图书在新华书店的销量、上架网点、上架册数、图书排行榜等信息，从中你可以

图 6-7 北发网登录界面截图

找到图书的上架情况以及销售情况，使你的营销推广更有针对性和目的性。

8. 你是否会时不时在网上查询图书的报道情况？

利用好关键词搜索，及时了解别人对你这本书的评价很重要，比如名人的推荐、微博的转发、媒体的报道……看看每天有哪些可以利用的信息。在百度里输入书名或作者名，抓住每一条可用的信息，进行图书的二次宣传，我们将在"上市后的信息收集和二次宣传"这节中做具体说明和展开。

9. 你是否会利用个人平台尽可能把图书信息宣传出去？

当前是一个个媒时代，每个人都是传播源，千万不要忽略我们自己就是一个很强的媒体，我们需要做的是把自己的这个媒体不断放大，利用好个人即时通讯工具：微博、QQ 签名、微信、MSN 签名、博客、QQ 个人空间等。

比如，你挂的 QQ 签名，就可能被 100 个人看到；你发的微博，可能被 1 万个人看到。千万不要忽略这些个媒传播工具，用好了，将爆发出你难以想象的能量。

营销推广的本质是不断增加产品的传播机会和增加产品与消费者接触的机会。我们就是要狂轰乱炸、像洪水猛兽一样地做推广，熟练掌握一切线上线下传播工具，如水银泻般无孔不入，将所有的事都当作推广这一件事，无时无刻不在做推广、无时无刻不在想推广，任何一个和你打交道的媒体人员、朋友都是你的推广对象，利用一切手段地发挥大规模的推广运动，最终将自己变成一个意志力超级强大的推广媒体，让推广为产品在短时间内实现最快销售、最大量销售和最长时间销售提供最强大的支持和力量。

前面以"九问"的方式谈了编辑平时可能会忽略但是应该引起重视的问题，现在请静下心来思考一下，九条中所提到的你都做到了吗？还有哪些是你可以完善的？

三、上市后的信息收集和二次宣传

在前一节的"编辑九问"中提到了"你是否会时不时在网上查询图书的报道情况?"这一问,在前面做了一个简单的阐述,这里专门把这个版块拉出来做一个具体的展开。之所以把"上市后的信息收集和二次宣传"单独作为一节,是因为它是图书营销中很重要的一环,但也恰恰是编辑们常常忽略的一环。信息搜集好了,不仅可以让你的图书营销工作事半功倍,还能让图书的销量"滚"起来。

1. 上市后收集哪些信息

(1)所有媒体的相关报道。

图书上市后,要时刻关注媒体的相关报道,一方面是编辑主动联系的媒体报道,另一方面是媒体主动报道的图书信息(此处编辑容易忽略),及时收集这些媒体报道和社会反映,加以整合利用,以便于随后的二次强化宣传。

(2)网上书店的排行榜、专题信息。

像当当网、亚马逊、京东商城、苏宁易购这几大电商,都有自己的图书畅销榜,除总的排行榜外,还有一些分类榜单,比如当当网的"虚构图书榜"、"非虚构图书榜"、"新书热卖榜"、"五星图书榜"、"图书飙升榜"、"特价图书榜"等,如果你的图书在榜的话,要及时截图留存,因为图书在榜是有时效性的。再比如这些网站都会不定期更新各类专题,假如你的图书被选入了专题中,也要随时收集好这些信息,以便用于二次宣传。

(3)实体书店的图书拍照。

这个实体书店拍照,主要是拍图书在书店的"非书脊式摆放",前节提到过"非书脊式摆放"是图书实现畅销的第一步,所以编辑在去书店的时候,要特别留意你的图书在卖场的摆放情况,如果书店摆放的位置很好,甚至已经在码堆儿了,那么此时应该及时拍照留存。外地的书店,编辑不方便去的话可以请发行在出差时帮忙留意并收集相关信息。

（4）微博的推荐、转发。

微博营销作为当前网络很火的一种图书营销方式，在前面章节里已经重点讲过了，这里强调一点，就是编辑要特别关注那些微博粉丝数很多的博主，如果他们的微博里有提到你这本书，或者推荐了你这本书，抑或提到了与你这本书相近的观点，此时要及时转发并加以利用。

（5）读者的评论。

一本书之所以能畅销，最终因素还是读者的口碑，所以编辑要注意收集读者的意见，查找收集读者买书后的评语和感想，利用口碑传诵，达到图书传播的最大化。

（6）机构组织的读书活动。

很多时候，各大单位不定期会组织读书活动，并且会在官方网站上报道相关活动的进展情况，那么此时，你的图书就有可能被选入其中。甚至有些领导干部会主动推荐某些图书，这个时候，编辑要用好百度，定期搜集这些可用信息。如果你的图书恰好位列其中，此时不用，更待何时呢？

2. 收集这些信息有何用

可能有编辑会问，占用时间和精力去搜集这些信息到底有什么用？好处主要有以下几点：

（1）增加客户的信心。

这里所指的客户，其实是一种广义上的客户，包括新华书店的店员、网络书店的采购、民营的经销商，等等。一本书到底影响如何，因素是多方面的，销量只是其中之一，如果你能将这些信息在搜集整理后让客户看到，他会对你这本书有一个更为全面的考量，会促使他的采购决策，会促使他帮你摆放到更好的位置，会促使他添更多的货。

（2）吸引媒体的关注。

媒体需要的是话题，如果你的图书在多个渠道和平台都产生了相当影响力，媒体当然会关注，这个时候无形中就增加了你说服媒体去追踪、报道你的图书的理由，媒体甚至会对你的图书进行免费宣传和推荐。

（3）加大合作的筹码。

根据 80:20 法则，一本书被引起广泛关注，其影响是多方面的：提高了你的话语权，与书店的密切合作，对于作者的吸引……会导致很多优势资源向你倾斜。

（4）提高图书的销量。

毫无疑问，图书宣传所做的一切都是为了让图书有更好的销量，编辑要做的就是让图书的被关注度持续升温，二次宣传自然就是在不间断地刺激读者，在多方合力的作用下，进而拉升图书的销量。

3. 如何进行好二次宣传

建议图书编辑对每本书都要有针对性地整理好数据库，包括媒体报道的网页截图、网址链接、报刊扫描，做成 EXCEL 表格，每一本书都有一个资料包。

信息是不断增多和持续利用的，这样你可以针对不同的群体在适合的时机、选择适合的信息发送。比如，你可以在客户群、微博上发布相关信息，你可以向经销商发放二次宣传的光盘、PPT 等资料，你还可以给那些提到这本书的人发信息、寄样书，让他们帮助宣传，只要编辑细心思考，可利用的点很多。

● **案例：《华尔街战争》与《大赌局》的二次宣传**

2008 年年底，中国纺织出版社的《华尔街战争》上市一周后，巧遇中央电视台《新闻 30 分》《朝闻天下》接连报道此类图书火爆，封面被作为特写镜头进入电视画面；北京电视台新书推荐此书；新浪网、腾讯网读书频道等争先连载；上市一周即出现盗版书，出版后一个月销售告罄。此时的编辑在得知这个信息后做了下面这几件事：

（1）及时收集中央电视台、北京电视台以及相关媒体的画面。

（2）化遭遇盗版危机为宣传的良机。在《新华书目报》上撰文发起一场"《华尔街战争》的反盗版战争"，一边谴责盗版者的不法行为，

图 6-8 中央电视台、北京电视台相关报道截图　　图 6-9《新华书目报》文章报道

一边教读者怎么辨别正版与盗版的区别，同时达到宣传本书的目的。

（3）开展买书赠送杯垫活动。

小实例

"倍"感民众关怀，"垫"起人生高度

购买中国纺织出版社图书《大赌局》《华尔街战争》赠送精美杯垫。

金融风暴正在席卷全球。企业陷入经营的低谷，个人陷入生活的困境。上至白宫政客，下至摊贩走卒，远至冰岛渔夫，近至隔壁阿婶，都在这场大风暴内扮演着一个个生动的角色。为了帮助中国读者更好地了解这场风暴的来龙去脉和更从容地应对这场危机，由中国纺织出版社出版、美恩财经创作的"全球金融体系大变局"系列图书应运而生。

随着金融危机的逐步发展，中国纺织出版社将有步骤、有计划地出版该系列图书，先"解析现象"（2008 年 12 月出版《华尔街战争》），再"提出概念"（2009 年 1 月出版《大赌局》），接着又会以"预测结局"、"分析根源"和"反思提炼"等层次陆续推出一系列以独特视界关注国际财经的精品图书。

相信这些书能帮你更从容地应对危机，助你"垫"起人生的高度，"托"起生活的希望。

（4）给发行人员和经销商发送相关 PPT 和动画。

图 6-10 专门为本书做的 PPT 和动画

就这样，《华尔街战争》一书的策划编辑经过以上这几个步骤，使这本书持续升温，在短期内多次加印，销量火爆。

可见，二次信息的收集和利用是何等重要，在实际的工作中，其实二次信息可利用的方式还有很多，方法也不仅仅局限于我们上面所提到的，只要编辑用心去想，留心关注身边的信息，加以整合利用，是可以使图书的营销工作多点开花、事半功倍的。

本小节实训项目 >>>

找一个周末或不上课的时间,到当地最大实体书店进行一次不少于2小时的调研,内容包括当月畅销书排行榜、码堆图书、新书展区,记录下相关图书的信息,整理出一篇含有数据、表格又有结论的调查报告。

"静"于思考、"动"于提高、"成"于落实。心中有"活",眼中有"人",行中有"善"。

下辑

策划编辑是自我管理专家

第七章 事务管理

第一节 word：涉及进度的，建立文档并每日更新

美国某汽车公司总裁莫端要求秘书给他呈递的文件放在各种颜色不同的公文夹中。红色的代表特急，绿色的要立即批阅，橘色的代表这是今天必须注意的文件，黄色的则表示必须在一周内批阅的文件，白色的表示周末时必须批阅，黑色的则表示是必须他签名的文件。

对于策划编辑来讲，其忙碌程度不亚于企业老板。图书出版是一个极其琐碎的工作，其复杂程度也不亚于汽车制造。

别看小小的一本书，其从一个主题到一个专题，从专题再到一个选题；其从一个作品到一个产品，从一个产品再到一个商品；其从一个点子到一个稿子，从一个稿子再到一摞票子……过程不可不谓多烦琐。

针对一本书，策划编辑需要打交道的人更是非常之多，作者、部门领导、社领导、三审三校人员、内文排版、封面设计、插画师、印制员、发行员，还有总编室书号的办理、财务部书款的结算、与书店相关人员的沟通、向相关媒体的推荐，等等，涉及人员不可不谓多壮观。

当然，一个策划编辑不可能只做一本书，而每本书都有出版时间的安排。如此，就可以想象，当一个策划编辑需要多么高超的组织和协调事情的能力了。

每个人的时间与精力都是有限的，如何更好地把事情做好，需要我们把事情按照重要程序和紧急程度来划分，即：重要且紧急的事；重要但不紧急的事；紧急但不重要的事；不紧急也不重要的事。

一、重要且紧急的事情

这类事情对你来说是最重要的事情而且是当务之急,只有合理高效地解决完,才有可能顺利地进行别的工作。这种事情紧急而重要,你必须把它们处理好,不能再拖延了。

二、重要但不紧急的事情

这类事情关系到你的长远发展。这些事情的最大特点是没有规定的限期,如果没有被其他人催促或有现实因素的刺激,可能将被永远拖延下去。

三、紧急但不重要的事情

可以说,每个人都会遇到这样的事情。这一类事情表面上看起来是极需要的,而且要立刻采取行动,但是如果客观地来审视这些问题,我们就应把它放到次要的事项中去。

四、既不紧急又不重要的事情

我们在工作中会遇到很多这样的事情——不需要即时处理甚至不需要处理。如果把精力放在这些事情上面,纯粹是浪费时间。

任何工作都有轻重缓急之分。只有分清哪些是最重要的并把它做好,你的工作才会变得

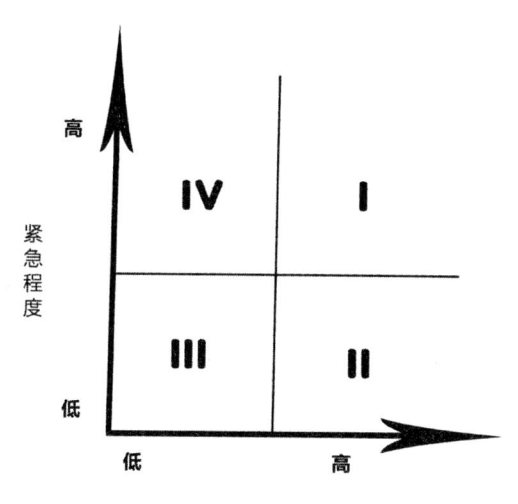

图 7-1 事情的轻重缓急象限图

井井有条，卓有成效。

　　因此，给策划编辑介绍一种工作方法：在办公电脑的桌面上建立一个 word 文档。这个文档是你每个月和每个星期要处理的工作进度安排。可以根据每本图书作为单位，每日更新，逐步推进。

　　每天早上一开电脑，就先打开这个文件，看看完成的情况以及做一些必要的更新和修正。按照事情的重要性和紧急程度，可以把每件事情用不同颜色标注，以提醒自己。

　　养成这样的工作习惯后，即使你每天都非常忙碌，一大堆工作方面的书稿等着你去处理，但是由于采用了正确的做事习惯，也能游刃有余地应对每天的工作。事情不怕多，而是怕乱；工作不怕忙，而是怕无序，只要掌握了科学的方法，在编辑过程中我们绝对能做到"忙而不乱"！

第二节 A4纸：涉及事务的，做成列表并逐一消除

研究表明，大多数情况下，每天8小时的工作时间足以处理一日的工作事务，然而事实上，大多数人并没有合理使用上班时间。对于图书的策划编辑工作也是如此，不少编辑没有正确管理自己的事务，做有效的安排，以至于自己的工作效率低下，一直都没法得到提高。

工作效率低下，可以从我们每天踏进办公室的那一刻算起，看看我们是如何安排的：

（1）打开电脑，首先关注每日头条娱乐新闻，然后边吃早餐边和同事八卦，自己买的新衣服，股票的涨跌；

（2）脑海里一片空白，不知道这一天该做什么，糊里糊涂临近午饭时间，心想反正没什么时间了，下午再做事儿，于是心安理得地看起娱乐新闻；

（3）午休时间没休息好，浑浑噩噩的，看看时间尚早，于是把工作放到一边，聊天、看新闻……心思早就飞远了；

（4）要下班了，这才发现手上堆着一堆没干完的活儿，心想，明天有的是时间，明天再做好了。

正是这样的无序做事，才使得我们的工作效率极其低下，生命质量也没任何精彩可言。

也许，重要的选题论证会马上召开，你是否还在杂乱无章地收集各种信息？面对繁多

> **有序有效地做事**
> ① 主次之分（把紧急与重要按不同等级排列，就不会有心急火燎的活儿）。
> ② 要事第一（每天要事只一件，在前天晚上睡觉前确定下来不再更改）。
> ③ 目标细化（按照时间或数量细化为三部分，通过阶段性成果鼓励自己）。
> ④ 工具辅助（利用A4纸、铅笔、三种颜色中性笔、便签条、手机做提示）。

的工作报表，你是否感到毫无头绪？出差即将结束，而你是否对随之而来的出差报告心存胆怯、不知从何下笔？

造成这些问题的原因只有一个，那就是——你的工作方法出错了！那么，不妨尝试一下 A4 纸工作方法。把你的工作进度、时间安排、人生规划都明确在一张 A4 纸上吧！

每天早上坐到电脑前，在等待电脑进入系统的那点时间里，把平时打印过一面的 A4 纸的背面反过来，然后拿出笔迅速地写下今天必须完成的几件事情，同时规定 3～5 件是今天无论如何要完成的。

接下来，在一天的工作中，每完成一件事情，就用笔将它涂掉。下班时，再看看今天的任务完成情况，如果有些事情必须是一定不能等到明天的，那一定要加班完成；如果事情不是那么急，可以稍微缓缓，那就放到第二天。

如此一来，每次下班，每划掉一件事情，就有一种小小的成就感；而如果没完成，拖到第二天写，又在纸上写一遍时，就会有一些危机感和负疚感。在这样的成就感和负疚感的交集中，工作的条理性就会清晰了很多。

第三节 PPT：给领导或客户看的，做出方案并提交

无论对于什么类型的领导或客户，在向其介绍或推介一本书、一个项目时，要懂得提出自己的解决方案。如果有可能，提供两套或者以上的解决方案，也就是说，让领导或客户做选择题，而不是问答题，也不是直接给答案。

那么，对于策划编辑来说，怎么给出"选择题"呢？一个好办法就是做PPT。

乔布斯的演讲魅力，在世界IT界也是出了名的。那么，乔布斯的演讲秘籍是什么，他是如何使自己讲述的产品故事如此充满魔力呢？PPT演示是演讲的得力工具，也是乔布斯留给世人印象中最经典的画面之一。

> **请示汇报的三个原则**
> ① 言简意赅，用词精准，不能拖泥带水，不能逻辑不清；
> ② 找到真相，给领导汇报完事实后，接着就是汇报为什么出现问题的真相，千万不能一头雾水，能够看到问题的本质，本身就是一次展示个人魅力的机会；
> ③ 携计而去，看到真相还不够，还要为领导提供解决方案。

著名商业演示专家马建强认为PPT能助人克服演讲紧张："第一，它像个优秀的导游，提纲挈领地指引你一步步走向成功；第二，它出色的视觉表现能力也会帮你分担观众目光的压力；第三，它还可以更清晰地表述你的观点、要点。"

PPT演示的设计制作，是演说者的脸面。精美、精彩的PPT，是吸引观众、征服观众的重要力量。所以，一次好演讲、一个好PPT是必不可少的。

那么，怎样的 PPT 才算是好 PPT 呢？看看乔布斯征服人心的绝招吧：乔布斯的 PPT 风格简洁明了，可谓惜墨如金，有时候他讲了一大段，PPT 上却仅仅显示一个词组，且背景色总是蓝灰色（也被称为苹果灰），而文字只有白色，没有其他任何颜色。这种典型的单色简洁风格 PPT，使配色和排版简洁明快，为图片、图表留下了足够的颜色空间，讲述者也不必再为图片、图表颜色是否与背景的颜色协调而烦恼。

乔布斯的演讲秘籍：

（1）做 PPT 前先拿纸，把你想表达的思想写下来，这个比信息更重要；

（2）站在受众角度想清楚他们要什么，用最简单的话说出你的观点；

（3）永远只有三部分，而非四点或五点；

（4）投影少文字，多图片；

（5）幽默，别刻板；

（6）讲故事。

公认的好 PPT，并不是要靓丽花哨，而是以简洁、鲜明、故事性强为特征。为什么呢？因为要给人们的想象欲、求知欲留点空间。

一般来说，10 页之内 PPT 就足可以讲清了。如下面这个图书营销 PPT，只有 9 页、几个字、几幅画，却充分调动起了读者的阅读欲。

例：

第 1 页：74 年前……一个秋天……

第 2 页：一个中国人（作者赴英时照片）

第 3 页：在伦敦求学（英国地图）

第 4 页：在第二次世界大战期间……

第 5 页：他成为了一名战地记者（战场图）

第 6 页：欧洲战场唯一的中国记者（战场图）

第 7 页：他亲临了两次轰炸伦敦……（随军图）

第 8 页：又随美军队挺进莱茵河……（随军图）

第9页：记录真实战争（《欧战旅英七年》图书封面和作者照）

图文搭配，使萧乾著、文洁若编的这部《欧战旅英七年》充满了浓厚的回忆性和故事性，撩拨着每位读者回溯历史、探求真相、体验作者不凡人生历程的渴望之心。比起"中国第一位'二战'随军记者战场回忆录"这样单薄的宣传语，更具生动真切的吸引力。

图7-2 萧乾著、文洁若编《欧战旅英七年》

用一句话总结PPT制作心得，就是："不管多少内容，分三步；多图，搭配主题；少文，标题简洁；深底，不要花哨背景；浅字，白或者黄；SMART图示辅助，形式更丰富。"需记住的是，PPT是用来提示的，不是用来解释的。所以应"多图少文分三步，底深字浅SMART图"，用最简练的文案和明晰的图表来达到最佳的沟通效果。

平时可读读《别告诉我你懂PPT》等这方面的畅销书，了解一些常识和规则。当然，也不可忽视应用，只有多练习、多探索、多收集反馈，才能逐步提高制作PPT的能力。

第八章

时间管理

第一节 按照流程办事是为了让我们少出错

生产流水线是现代社会最伟大的发明之一，是西方管理的一个文明成果。

20世纪初，在福特汽车的工厂内，专业化分工非常细，仅一个生产单元的工序就多达7882种。福特通过反复实验，确定了一条装配线上所需的工人数目，以及每道工序之间的距离。在当时，这样的流水线是必要的，因为只有采用流水线的生产方法，才能生产出大批的产品，提高人们的生活水平。

当流水线开始在福特汽车生产中推行时，还是新生事物，大众传媒对其诟病不少，好莱坞笑星卓别林的"摩登时代"就对生产流水线极尽讽刺，但随着生产流水线的不断自我完善，它属于新时代的巨大优越性和生命力就得以展现出来，其他行业纷纷效仿推广。

尽管随着时代的发展，现在关于流水线生产已表现出很多弊端，但是我们仍然要承认它对人类历史发展作出的巨大贡献。

其实，就如同一个年轻的编辑刚入行，就是整个出版流水线上的一环，你必须先老老实实地遵循着，通过自己的学习，在了解了整个运作流程后，掌握了工作的方法，才有可能在日后独立承担任务。

我们都知道，编辑出版必须有"齐、清、定"的要求，有"三审三校"的环节，有先征订再印刷的做法。在编辑出版工作中，如果缺乏明确的流程，工作就容易产生混乱。如果有章不循，按个人意愿行事，就容易造成混乱。下面是在平时工作中可能碰到的几种混乱情况，不妨检查一下自己有没有这样的问题。

（1）职责不清造成的混乱。在工作中，我们会遇到由于流程安排不合理造成某项工作好像两个人都管，其实谁都没有真正负责的情况，两个人对工作却是纠缠不休，整天扯皮。

（2）业务能力低下造成的混乱。素质低下、能力不足，也会造成工作上的无序。不少人作为某项工作的负责人，却因其能力不够而导致工作混乱无序。

（3）业务流程的混乱。每个人大多考虑一项工作在自己这里能否得到贯彻，而很少考虑如何协助他人实施。较少以工作为中心，导致流程混乱，工作也无法顺利完成。

（4）协调不力造成的混乱。相互间的工作缺乏协作精神和交流意识，彼此都在观望，认为应该由对方负责，结果工作没人管，原来的小问题也被拖成了大问题。

（5）有章不循造成的混乱。随心所欲，把规章制度当成他人的守则，没有自律，不按制度进行管理考核，造成无章无序的管理，影响了部门的整体工作效率和质量。

能否按照流程来处理各种事情，首先是职业素养的最基本体现；其次，企业制定那些规章、行业建立那些流程，绝对有其合理性，千万不要以你个人之力去挑战经过千锤百炼的管理理论；再次，有章可循、按章执行可以让你少走弯路，让你少犯错误甚至不犯错误。

有规不遵、有章不循，看似潇洒快意，其实这种违规操作往往隐藏着巨大祸患。

走正路才不会走弯路，有时候你想象中的捷径正是把你带入危险地带的歧路。

你不是一个人在战斗，在图书出版的整个运行线上，你是其中一道工序，该怎么走就怎么走，不要偷工减料，也不要画蛇添足。老老实实做人，本本分分做书，安全航行才是出版工作的有力保障。

第二节　把重要的事放在精力旺盛的时候做

据美国《预防》杂志最新报道，人类的大脑也有自己的工作节奏，利用好这一节奏会让你更健康、更有活力。

（1）7点～9点：激情时间。美国洛克菲勒大学的神经系统学家伊勒博士认为，此时大脑完全苏醒，需要得到他人关爱。

推荐活动：告诉另一半你爱她（他）；给家人一个拥抱；给远方的亲人朋友打个电话。

（2）9点～11点：创造力时间。此时人体的压力激素水平适中，大脑注意力较高，可以做些需要运用分析能力和注意力高度集中的事。

推荐活动：设计新方案、写策划、思考难题。

（3）11点～14点：克服困难时间。此时大脑已做好了承受重任的准备，但最好避免任务太多，一次只做一件事。

推荐活动：处理电子邮件；与客户交流；和配偶共同解决家庭难题。

（4）14点～15点：娱乐时间。为了消化食物，身体已经将大部分血液从大脑转移到胃部。

推荐活动：冥想、阅读报刊杂志、外出散步。

（5）15点～18点：合作时间。此时人的性格会变得比较随和、善于沟通。

> **时间管理的4D原则**
> ① Don't do it（丢一些）：丢掉那些与重要目标无关的事情。
> ② Delay it（拖一些）：把那些次要工作暂时放在一边。
> ③ Delegate it（授权一些）：能分给他人或下属的次要事情，尽量分派授权给其他人做。
> ④ DO it now（立即做）：重要的事情不要犹豫，马上去做。

推荐活动：开会、洽谈合作事宜。

（6）18点～20点：自己的时间。此时褪黑激素的分泌量最少，你不会感到累。

推荐活动：遛狗、购物、做顿美味晚餐。

（7）20点～22点：放松的时间。褪黑素此时分泌迅速，而保持大脑清醒的血清素却不断减少。

推荐活动：看喜剧电影、听音乐。

（8）22点以后：睡眠时间。此时大脑需要通过休息整理白天获取的信息。

推荐活动：伴着一本好书入眠，想一下明天的日程。

根据这个研究，策划编辑也要懂得合理地安排自己的时间。编辑出版千头万绪，工作中每天都可能碰到各种各样的事情要处理，那么，就需要将所有的事情进行计划，以便能确定其优先次序。采取排定优先次序的方法可以使你在最有效的时间完成最为需要完成的事情。比如，选择上午9点～11点这段黄金时间完成自己最为重要的工作，如做一个选题论证方案或重点书营销方案；选择下午4点～5点精力比较疲惫的时间进行一些无需用脑的工作，如进行一些复印或打字的工作，或者浏览相关图书网站等，从而缓解疲惫的精神，也让这些琐事不占用自己的黄金时间。

让自己的时间效率得到最大优化，一定要抛开那些只能给我们带来微薄成果的活动。在精力最旺盛的时间处理最重要的事情，这是优秀的图书策划人的工作习惯。

第三节　让每一次听培训和讲座都有所收获

　　出版行业经常会举办一些培训和讲座，不管是新编辑还是老编辑，或多或少都得去听一些。讲课的人要么是出版界的佼佼者，要么是畅销书的制造者，台上他们那些让人血脉喷张的言论和案例让我们蠢蠢欲动、跃跃欲试。但是，大部分人是"听着感动，看着激动，事后一动不动"。可谓是：梦想雄心万丈，醒来死在床上；做梦天马行空，做事睡眼惺忪；梦里千万条路，醒来还是原路。还有的人，每次听培训或讲座，都是哈欠连天、昏昏欲睡。

　　客观地说，当好听众其实并不容易，不是说随随便便地坐在那里就好了。不仅要带着眼睛、带着耳朵，更要带着心，用心去听、用心去想。讲的人大脑肯定是一直处于活跃的状态，那么听的人，也许不需要讲的人那么高的活跃度，但也是需要让大脑转起来的。即便是所讲的内容是自己所不喜的，但是既然身已在此，何必又让心神游于他处呢？

　　其实，对于任何一个培训也好、交流也罢，总会出现听众自己不喜欢的内容。难道真的要"两耳不闻窗外事，一心只想自己事"般去荒废这宝贵的培训和交流时间吗？当然不能如此，其实仔细想想，一天中，人们大部分的时间都是自己与自己的对话，那么这种与他人交流的机会就更显得弥足珍贵，更需要认真对待了。与人交流，无非是"听"与"说"，而对于培训来讲，则重在"听"。一场培训，到底能有多少收获？取决于两个方面：其一是"听了多少"，这是听的范围；其二是"听进去了多少"，这是听的质量。因此，无论是自己感兴趣的抑或自己不感兴趣的信息，都是需要聚精会神去听的。

那么，如何做好一个听众呢？最重要的是两点：其一是对于信息的过滤，就是那些结合自己亲身经历和感悟后我们觉得不能接受或不认可的，大可以过滤掉就好了，我们不需要那么在意它们，不能因为它们而影响到我们吸收其他信息时的状态；其二是对于新观点的吸收，这是最重要的一点，关系到本次培训的效果是"毫无所得"还是"收获颇丰"，是证明我们有没有虚度光阴、有没有浪费精力的核心之所在。

因此，听自己爱听的话不一定就能有所获，而善于听进并且吸收自己所不知道的、甚至之前排斥的信息和观点，收获可能反而更大。因为这些正是纠正和扩大自己知识面的重要信息。错过了，也许就错过了一次成长和提高的机会。

> **听会，会听**
>
> 冗长会议、频繁培训，枯燥讲座……如何应付？没必要反感，本意都是好的，换种心态和姿态去接受就不一样了。要学会"听会"：
> ① 注意听的范围，提高听的质量。
> ② 对信息过滤，对新观点吸收。
> ③ 对有疑问地方记录与思辨。
> ④ 及时归纳总结，客观还原。
> ⑤ 不仅用笔记，更要结合自身用脑思考。

第九章 情绪管理

第一节 沟通：不要带入情绪，但要带着情感

有一项研究表明，两个人的沟通70%是情绪，30%是内容，如果沟通情绪不对，那内容就会给扭曲了，所以沟通内容之前，情绪层面一定要梳理好。特别是编者与作者沟通中为维护各自利益总会出现一些争议，编辑部门与发行部门、印制部门也永远存在"编印发"的矛盾，在沟通中难免会有时感情用事，沟通起来不顺畅的现象。

那么，怎么才能做到"无情绪沟通"？以下一些建议可以参考。

① 讲出来，不憋着，否则成见越来越深。

② 对事不对人。

③ 不责备、不抱怨，不然只会使事情恶化。

④ 互相尊重，是沟通的基础。

⑤ 绝不口出恶言。

⑥ 确保沟通在理性基础之上。

⑦ 承认"我错了"，这可以打开不少死结。

⑧ 说"对不起"，这是最好的软化剂。

⑨ 说"谢谢你"，这是最好的回应。

⑩ 足够耐心。

另外，还要明白：沟通不是你在说什么，而是别人怎么理解你说的什么，你所想表达的一定要让别人理解和接受，否则，沟通就成了打扰，就会给别人带来负面情绪。因此，学会正确、科学的沟通很必要，分享几个有效沟通的诀窍：

① 以平等位置和姿态最大化满足沟通对象的需求。

② 沟通要快速高效，不拖沓。

③ 沟通是价值咨询，用最简短两三句话把信息传递给他人。

④ 通过数据分析为他人提供信息和建议，帮助他们完成任务、解决难题。

⑤ 平时做好功课，提炼好图书本身或营销推广的核心内容。

我们说"沟通沟通"，其实，"沟"的是信息，"通"的是情感。沟通当然不能带入"情绪"，但要带着"情感"，沟通必须是有感情的，而不是冷冰冰的信息传递。

> **6种不同场景下的沟通方式**
> ① 面对面沟通：简单直接（日常、室内）
> ② 饭桌上沟通：平易亲和（放下架子）
> ③ 打电话沟通：迅捷高效（出外、急事）
> ④ 发短信沟通：有凭有据（数据、地址）
> ⑤ 发电邮沟通：正规礼貌（国外、备份）
> ⑥ 聊天工具沟通：减少障碍（即时、修改）

在与人的沟通过程中，会存在信息传递迟缓或片面而造成不顺畅甚至误解。特别是网络时代，策划编辑要依靠网络但不能深陷网络。有时候，越简单，越直接，越高效。比如找作者资源，键对键，不如面对面；Q对Q，不如来杯酒；邮件里无数个赞同的叫好，不如当面一个肯定的微笑。

第二节 共识：可以各执己见，要有最终意见

人与人之间，部门与部门之间在沟通上难免站在各自的立场来看待问题，编辑部门认为发行没有好好铺货，发行部门认为编辑本身就没把书印好，排版设计人员责怪印制部门没把书印好，营销部门埋怨财务部门不支持足够的经费。

总之，我们都善于找别人的问题，而不寻找自己的不足。于是，公说公有理，婆说婆有理。事实上，有些事情无法绝对地分清是非对错。最好的办法，是达成共识。

共识可能是说服的产物，也可能是妥协的产物，虽然它不是终极实现但至少是暂时平衡。要想不愤怒、不骂人，不如放弃捍卫自身的立场，转而追求达成的共识。追求共识的人是不会蛮不讲理的。

那么，如何才能形成"共识"呢？我们来看两种情境。

情境一：你这个部门需要赶一个重点新书在 1 月份图书订货会上亮相，但在你之前，印制部安排的生产线还有 15 本书也要赶，你向印制部的负责人斡旋能不能先赶你的图书。

你可能气急败坏冲去找他："这个书你非赶出来不可，不然我就麻烦了。你要知道，如果赶不出来给发行部，万一发生什么事，我担待不起！"

其实你应该这么说："这本书非常有畅销潜力，可以提升我们出版社的利润，因此年终我们都会拿到不错的提成。我不希望因为我们这本书赶不出来，而影响全局，你觉得我们应该怎么办？"

事实上，跨部门沟通最担心的就是"本位主义"，这时候应该抛开

以自己部门出发的思维，以整个单位的角度来考量和说服对方。

说服时，把对方一起牵扯进来，毕竟如果"事不关己"，他就不会想帮忙。由于"数字"是中性的字眼，最好以数字说明会有怎样的后果。

此外，可以利用非正式的地点和时间，比如茶水间或午餐时间询问对方的意思。对方有没有权限也很重要，如果他没有权限，建议先跟他打过招呼后，再去找有权限的关键人物。

情境二：编辑部和发行部将合作举办活动，在分配工作范围和出资比例时，大家开始有了争执。

> **与人互动的"三同法则"**
> ① 同益：不能只考虑自己，要均衡到双方的利益，必须达到双赢、共赢。
> ② 同意：在具体解决办法和结果分析等方面，必须形成同样的意见，不能自己单方面的武断独裁。
> ③ 同一：最好状态是双方彼此合为一体，同一声音、同一行为、同一心情，形成一种巨大的默契。与人进行良好的沟通互动，就从"三同"开始。

你可能挑明表示："发行部预算比较多，应该出较多的钱。"

其实你应该这么说："这个活动对于发行部和编辑部都很有帮助，只是以比例原则来说，××元占发行部预算的比例较低，活动效益也回馈在发行的回款这边，所以发行部是不是能负担较多金额？至于图书制作这边，我们会相对提供这些投入……"

如前所述，跨部门沟通最需要打破本位主义。沟通时最好以整体利益来说服。"赢一次不可喜"，"双赢"才是最好的方法。在责任以及利益分配上，记得要让所有人都觉得有好处，让大家觉得公平。公平不见得是每个人分得一样多，而是能兼顾大家的心情。

面对这样的情况，退一步来谈可能要比直接应战更有效。当两方人马都不愿让步时，一方若能退一步，持有不同意见的另一方也不会再加以反驳，这样两方距离就拉近了，从而使沟通得以进行下去。

在跨部门沟通上，遵循几个原则：

① 尊重事实本身，而不是以双方关系衡量。

② 以别人能接受甚至喜欢的方式接受你观点。

③ 用能力而非权力强制决定，否则口服心不服。

④ 结果没有商量余地，但手段可以及时修正。

⑤ 不管有多少种不同意见，要有一个最终的裁决者。

第三节　心态：外经得起诱惑，内耐得住寂寞

曾经有个说法，说图书行业是暴利行业，其实如今的图书行业早已进入了微利时代。有人调侃说，做图书编辑，就是"操着卖白粉的心，赚着卖白菜的钱"。这种说法当然不足为信，但也的确从某个层面说明了做出版的辛苦。

著名出版人、中国韬奋出版奖获得者、吉林出版集团前董事长、北京时代华文书局有限公司现任总经理周殿富先生，曾经有一个说法："想要赚大钱，就别做出版。想做出版，就别想赚大钱。"

确实如此，出版界也不乏一些因为出版策划了一本或几本畅销书而获取了巨大财富的人，但是比例很小，并且这些财富相对于其他行业来说，仍然是不值一提。

策划编辑、图书出版人之路，注定是一条孤独的旅行。在这条路上，一定要对外经得起各种灯红酒绿的诱惑，对内耐得住青灯黄卷的寂寞。

曾在中国青年出版社、作家出版社当过编辑，现任中国现代文学馆副馆长的李荣胜先生写过一篇回忆姚雪垠的文章，发表在《人民日报·海外版》上，撷取一段分享：

1977年4月，我调入中青社文学编辑室。当时，《李自成》第二卷刚刚出版发行，社会反响极为强烈。人们争相购买的热烈状况前所未有，甚至"走后门"购买《李自成》第二卷。知道我调到中青社的十几个朋友就曾托我从出版社代购过呢！这也让我从心底钦佩这位不屈不挠的《李自成》作者——姚雪垠先生。

那年秋天，编辑室主任派我和另外两位老编辑给姚雪垠先生去送外

地寄来的几箱东西。当时，姚雪垠夫妇被安排在中青社的三里屯附近职工宿舍楼，修改《李自成》第三卷手稿。我搬着箱子爬上三楼，敲开姚雪垠先生的房门。正在卡片柜旁查阅卡片的姚雪垠先生听见我们进屋，立即放下手里的卡片，走过来热情地打招呼："辛苦啦！你是新来的青年编辑吧？"我正把箱子放在墙边，还没来得及开口，我身后的老编辑说："这是复业后第一个调来的年轻人，您就叫他小李吧！"

这是我第一次见到姚雪垠先生。年近古稀的姚老一头银发，连眉毛都是白的，却满面红润，一脸慈祥，两只闪着睿智光芒的大眼睛是我从来未见过的，一下子就刻在了心里。还抱着箱子的老编辑问："姚老，放在这儿合适吗？不行，我们再搬。""好极了！好极了！"姚老十分客气，"你们都累了吧，坐下喝点我们湖北茶再走！"听着姚老随和的回答，我发现，这么老的一位作家，社会上那么轰轰烈烈地抢购着他的小说，他却一点儿架子也没有，说起话来总是先想到别人。这令我不禁肃然起敬，真想让姚老给我这样的年轻人提点希望或指导什么的。

临走时，我故意让老编辑们先出了屋子。姚老似乎看出我有什么心事，送到门口，问我："今年多大了？"我说："跟共和国同龄，28岁。"姚老笑起来："后生可畏呀！"我连忙说："不不，我是刚到出版社的新兵。您是我非常钦佩的老作家，我想，我想您能给我这样的青年人提点希望，或者送我一句什么话吗？"或许是第一次和这著名的作家面对面的缘故，我说这话时有点紧张。姚老听得很认真。他顺手关上房门，朝窗户方向慢慢走了几步，又回过头来，红润的脸上没了刚才的笑容，一脸的宁静与沉思，只有两只眼睛放着光。他一字一句地说着，像是自言自语，又像是对我说："耐得寂寞，方能不寂寞；耐不得寂寞，一生寂寞。"

这是我从没听过的语言，感觉里面蕴涵着很深的哲理，可一下子又不能想得很透，似乎是怕忘掉，不由自主地重复着："耐得寂寞，方能不寂寞；耐不得寂寞，一生寂寞。"

姚老又恢复了刚才的笑容可掬："对，就把这句话送给你吧！这是伴随了我大半生的座右铭。"

我兴奋地向姚老鞠了一躬,说声:"我记下啦!谢谢您!"这句话从那天起就一直烙印在我的心里,成为我做事、做人、做学问的座右铭。看看今天社会的浮躁与喧嚣,我越来越感到这句箴言的深刻,越来越崇敬姚老人格的魅力。

……

耐得寂寞,经得诱惑。这个是作为一名图书编辑需要修炼的心态和思想境界。

记得2009年新华社"领衔编辑"陈小波获得中国摄影界个人成就最高奖——金像奖,给她的颁奖词写道:"编辑,以其探触暗夜迎接光明的耐力与寂寞,成为文化发掘、建构与传播中最为重要又最为默默无闻的一部分,成为人类文明史的直接参与保留者……"但陈小波却说:"其他不敢当,探触暗夜的耐力和寂寞,我有。"

其实,不只是报社编辑,图书编辑是一样。或许,编辑是"幕后英雄",是在为他人作嫁衣裳,但是收获的却是一种更长远的东西。图书编辑是孤独的,却在做着有意义的事。"听到森林里树叶的声音,就知道了季节的变化。"这,就是对一个图书编辑美好的回报。

后　记

不知道是不是机缘巧合，我编写的好几本书，从酝酿动笔到完稿杀青，都是差不多10个月。《图书策划编辑实训教程》这本书，从2012年10月与朱宇老师敲定大纲后进入编写阶段，到最终完稿，"十月怀胎"，实属不易。

一开始，充满激情，还手写了一部分书稿，然而期间，因为各种杂事锁身，导致有心无力，曾经差一点想放弃。好在，朱老师一直容忍我、鼓励我，给了我充裕的时间，也给了我极大的动力。

事实上，我一直的确是有这么一个想法，就是能编写一本真正适合编辑出版学专业学生阅读使用的教材。它必须是结合出版行业的最新动态，看了就懂，拿来即用，而且必须是发自内心喜欢出版、分享出版的诚恳之作。

十几年前，我学编辑出版时，所使用的教材，里面的观点当然无疑是非常正确的，但是随着时代发展，有三个缺陷逐渐体现出来了：

一是看不懂。一些观点偏陈旧，没有与社会发展进行同步更新。

二是记不住。基本以理论为主，没有足够多的案例来论证说明。

三是用不上。说得对却用不上，没有在工作以后用上的实操性。

因此，我们那时使用的教材，看之前提不起多大兴趣，看之后还是脑袋空空、脸上茫茫。

在进入出版行业后，接触到不少的新手，他们有激情、有梦想，却总是感觉编辑出版方面的教材如何落地无从下手，他们渴望找到一套方法或一本书，帮助他们把飘在空中的编辑出版理论落到实处。

正是感同身受，我本人也很想拥有这么一本书：

第一，掏心窝，真诚分享，接地气；

第二，献干货，一线案例，能说服；

第三，亮绝活，实用技巧，可复制。

说实在话，做到这三点不容易，这需要"经历"与"精力"兼备。

有经历，才有能力，有说服力；

有精力，才有毅力，坚持下去。

毕竟，编写一本书是一个考验脑力和体力的活儿，出版行业不乏优秀的人，他们做得很好，也愿意分享，可是，他们有时间说，却没时间写；专注某个角度可以，系统地面面俱谈实在做不到。

于是，我有了一个想法：我可以来做这些优秀人士的思想整理者和汇集者。

我从业十余年，有服务过多种体制与机制的出版单位的经历，身兼作者、图书策划人，熟悉编印发各环节，认识不少同行的前辈们，从他们那学习到了不少好的经验。

在从事出版具体工作和培训过程中，我一直坚持不断搜集、不断总结、不断分享的习惯，自己争取最大努力去亲身实践着，也看着出版行业众多优秀的人怎么做，听着他们怎么说，于是，有了这本教材的内容基础。

具体来说，这本教材的内容来自几个方面：

（1）每年给北京市新闻出版局的编辑继续教育的培训讲义。

（2）每年应邀为多家出版社、民营图书公司做的出版讲座。

（3）在北京城市学院给出版与发行专业学生上的三年课程。

十年一觉图书"出版梦"，仍未赢得任何"薄幸名"。

不过，能编写和出版本书，是我接触出版业以来最大的荣幸和收获。

感谢我的师弟师妹杨晶晶、徐丽丽、张彦翔、马骁等为本书一些章节的完成作出的贡献和帮助。杨晶晶和徐丽丽主要是辅助我编写第四章和第五章，张彦翔主要是辅助我编写第六章，马骁则为书稿进行了润色和编校。另外，我在北京城市学院的学生金若正、吴丹帮我录入和整理一部分手写稿。在此，一并感谢他们。

林少波

2013年7月30日

图书在版编目（CIP）数据

图书策划编辑实训教程 / 林少波编著 . —北京：中国书籍出版社，2013.9
ISBN 978-7-5068-3711-8

Ⅰ . ①图… Ⅱ . ①林… Ⅲ . ①图书－编辑工作－教材 Ⅳ . ① G232.2

中国版本图书馆 CIP 数据核字（2013）第 208494 号

图书策划编辑实训教程

林少波　编著

责任编辑	庞　元
责任印制	孙马飞　张智勇
封面设计	王彦祥　吴凤鸣
出版发行	中国书籍出版社
地　　址	北京市丰台区三路居路 97 号（邮编：100073）
电　　话	（010）52257143（总编室）　（010）52257153（发行部）
电子邮箱	chinabp@vip.sina.com
经　　销	全国新华书店
印　　刷	世纪千禧印刷（北京）有限公司
开　　本	710 毫米 ×1000 毫米　1/16
印　　张	18
字　　数	266 千字
版　　次	2013 年 9 月第 1 版　2013 年 9 月第 1 次印刷
书　　号	ISBN 978-7-5068-3711-8
定　　价	38.00 元

版权所有　翻印必究